"Por medio de Jesús, los cristianos tie
RVC). Pero somos tan propensos a pe
bas, las decepciones, los fracasos, las angustias y las preocupaciones oscurezcan el sol de nuestra inquebrantable esperanza. Este libro pequeño irradia esperanza, que brilla con la seguridad de nuestro Padre Celestial: 'Porque ciertamente hay un porvenir, y tu esperanza no será frustrada' (Prov 23:18). Inicialmente leí *Mañana será brillante* porque se me pidió que lo hiciera en vista de posiblemente escribir un apoyo. Ahora que lo he hecho, tengo la intención de leer el libro de nuevo porque me animó mucho la primera vez".

Donald S. Whitney, Profesor de Espiritualidad Bíblica y Decano Asociado en el Seminario Teológico Bautista del Sur, Louisville, KY; autor de *Disciplinas espirituales para la vida cristiana*, *Orando la Biblia* y *Adoración en familia*.

"Converso con muchas personas que se han enfrentado a la devastación de perder un hijo. Cuando tus peores temores se han convertido en tu realidad, algunos luchan con la idea de si puedes o no confiar genuinamente en Dios para seguir adelante y lo que eso debería parecer es inevitable. He querido hacer un libro que pudiera dar a las personas que me preguntan qué hacer con los temores reales que tienen sobre el futuro. Y ahora lo tengo. *Mañana será brillante* ofrece a los lectores una invitación saludable, plenamente bíblica, concisa y atractiva a confiar completamente en Dios".

Nancy Guthrie, autora de *Escucha a Jesús en tu angustia*.

"Esto no es una hipérbole pastoral, me deleita el nuevo libro de Jared Mellinger, *Mañana será brillante*. Como los que están unidos con Cristo, estamos formados para tener la esperanza, ya sea que aún tengamos que ver, experimentar y disfrutar de esta conexión y esperanza. Dios terminará la buena obra que ha comenzado, no sólo en nosotros como sus amados hijos, sino también en toda su creación. Esta es nuestra esperanza. Una esperanza viva, transformadora y misión renovadora de la toda creación. Con arte y decisión, Jared no sólo corre las cortinas de par en par sobre las glorias de nuestro nuevo futuro, sino que también demuestra el poder vigente de recordar el futuro que Dios tiene en nuestro tiempo presente".

Scotty Ward Smith, Pastor emérito, *Christ Community Church*, Franklin, TN; Profesor en residencia, *West End Community Church*, Nashville, TN

"Este libro te ayudará a ver. Cuando tu ayer o tu hoy ha sido sombrío, el camino por delante sólo parece oscuro. Jared ha reunido gran parte de lo que la Escritura dice sobre el futuro de una manera que tendrás valor para seguir adelante con esperanza. Léelo gradualmente."

Edward T. Welch, autor de libros más vendidos; miembro de la facultad de CCEF

"Estoy agradecido por el libro de Jared y la historia de Aggie donde 'Reina la gracia' incluso cuando caen las sombras y abundan las penas. Esa profunda confianza en las promesas pasadas, presentes y futuras de Dios que no puede fallar es un triunfo del evangelio".

Bryan Chapell, Pastor principal de la *Iglesia Presbiteriana Grace*

"Este es un hermoso libro tomado del corazón angustiado de un padre. Leyendo estas palabras estaba claro: 'no sólo es importante para Jared que sus lectores escuchen esto y lo crean, sino que es muy importante para el propio escritor'. Todos tenemos temores sobre el futuro y a veces esos temores pueden ser agudos, incluso paralizantes. Leer el libro de Jared fue una medicina calmante que me ayudó a pensar en las cosas que no se ven pero que son reales y duraderas. Comparte este libro a alguien que te importe que esté preocupado por el futuro".

Rankin Wilbourne, Pastor de la iglesia *Pacific Crossroads Church*, Los Angeles, CA; autor del libro *Unión con Cristo*

"Vivimos en un mundo aterrador. El miedo a un futuro invisible y amenazante a menudo nos causa preocupación y nos priva del gozo. *Mañana será brillante* de Jared Mellinger demuestra conforme a la Palabra de Dios que todos los que confían en Jesús tienen un Protector que es todopoderoso, siempre fiel, muy amoroso y omnipresente. Y el pastor Mellinger habla basado en la experiencia: para su propia familia, los Mellinger aceptan la esperanza que proviene de las promesas firmes de Dios."

Dennis E. Johnson, Profesor de Teología Práctica en el *Seminario Westminster* en California

"Vivimos en un tiempo donde el miedo es el acorde dominante: temor al futuro, temor a la muerte, temor al dolor. El libro de Mellinger abunda en sabiduría práctica y bíblica que nos señala el futuro brillante que tenemos en Cristo. Dios nos ha prometido una herencia, bondad, misericordia y resurrección de vida. Esta es una palabra oportuna y un libro que necesita una lectura amplia. Los cristianos pueden ser optimistas perpetuos porque ya sabemos el final de la historia".

Patrick Schreiner, Profesor de Nuevo Testamento en el *Western Seminary*.

Jared Mellinger

Mañana será brillante

CÓMO ENFRENTAR EL FUTURO SIN TEMOR

PATMOS

Mañana será brillante: Cómo enfrentar el futuro sin temor

Publicado por Editorial Patmos,
Miami, FL 33166.

Originalmente publicado en inglés como *A Bright Tomorrow: How to Face the Future Without Fear* por New Growth Press, Greensboro, NC, EE.UU.

Traducción por Abigail Bogarín.

Diseño interior por Adrián Romano.

ISBN: 978-1-64691-120-2

Categoría: Vida cristiana/Crecimiento espiritual

Impreso en Colombia | *Printed in Colombia*

DEDICACIÓN

Para la valiente Aggie:
Fuente del gozo,
Luchadora contra el cáncer,
Hija mía.

Contenido

Contenido

Introducción

El futuro de todo cristiano es maravillosamente brillante, y la manera de llevar una vida fructífera en el presente es aceptar todo lo que Dios ha hablado de ese futuro brillante. Somos como viajeros, cuya visión del camino por delante forma profundamente nuestra experiencia del trayecto de la vida. Cuando nuestros pensamientos acerca del futuro reciben información incierta o están llenos de dudas, drenan nuestro gozo y paz. Pero cuando nuestros pensamientos están bíblicamente bien informados y llenos de fe, florecemos.

He escrito este libro para ayudar a aquellos de nosotros que estamos preocupados por los días venideros. El futuro es oscuro a veces, y el valor no surge naturalmente para ninguno de nosotros. Los cambios son desalentadores, las incertidumbres son aterradoras, la vejez y la muerte son preocupantes.

Y sin embargo, 2 Tesalonicenses 2:16–17 dice que Dios nuestro Padre nos ha amado y nos ha dado consuelo eterno y una esperanza maravillosa por medio de su gracia. Ustedes son tan amados por el Padre, y él es tan generoso en su gracia, que el *consuelo eterno* y la *esperanza maravillosa* han sido asegurados para nosotros.

El objetivo de este libro es hacer retroceder el miedo y la incredulidad y despertar nuestras almas al consuelo y la esperanza ilimitadas que tenemos en Jesucristo.

Al mismo tiempo, este libro no es sólo para aquellos que miran al futuro y están preocupados. También es para aquellos que no tienden a pensar mucho en el futuro. Incluso aquellos que no se preocupan en exceso acerca de los días venideros necesitan descubrir las bendiciones que recibimos al vivir en la esperanza de nuestro futuro en Cristo.

Todos los cristianos deben pensar correctamente en el futuro. Cristo nos sustenta, nos satisface y nos cambia por el poder de una esperanza venidera.

La idea principal que motiva este libro es que la mejor manera de contrarrestar el miedo al futuro es recordar lo que Dios promete con respecto a nuestro futuro. El problema para la mayoría de nosotros es que pasamos más tiempo pensando en las cosas que *no* sabemos sobre nuestro futuro que las cosas que *sí* sabemos al respecto. Debemos aprender a recordar nuestro futuro como Dios lo ha revelado en su Palabra. Las cosas que sabemos sobre los días venideros deben dar forma a cómo vemos las cosas que no sabemos.

Este es tu futuro

¿Qué sabemos de los días venideros? Sabemos que Dios da más gracia (Santiago 4:8). Por cada circunstancia cambiante que enfrentes, habrá nueva misericordia del Dios inmutable de la gracia. Nunca decaen sus misericordias; nuevas son cada mañana (Lamentaciones 3:22–23, RVC). Eso incluye tu día mañana.

Sabemos que nuestro buen Padre nos ha dado preciosas y grandísimas promesas (2 Pedro 1:4, RVC), y no falló ninguna palabra de todas las buenas promesas que el Señor había hecho

(Josué 21:45). Pasamos por la vida creyendo (incluso colapsando, cuando no tenemos fuerza) en las promesas de Dios.

Sabemos que la bondad y la misericordia nos seguirán todos los días de nuestra vida, y que nada puede separarnos del amor de Dios. Él te sostiene fuerte y nadie te arrebatará de su mano.

Sabemos que en Cristo, el futuro ha invadido el presente. La Biblia utiliza el lenguaje de las *primicias* para dar a entender que la cosecha del fin del tiempo ha comenzado. La resurrección de Cristo de entre los muertos es el comienzo de la gran cosecha que incluye nuestra resurrección (1 Corintios 15:20–23). Cuando Cristo fue levantado de entre los muertos y ascendido al cielo, nosotros, que estamos unidos a Cristo, fuimos resucitados juntamente con él y Dios nos hizo sentar con él en los lugares celestiales (Efesios 2:6). Ahora nuestra vida está escondida en él, y esperamos con anhelo el día en que Cristo se manifieste y seremos manifestados con él en gloria (Colosenses 3:3–4).

Sabemos que cualquiera que sea la prueba que enfrentemos, Dios estará con nosotros para guiarnos y preservarnos. "Cuando pases por las aguas, yo estaré contigo; y cuando pases por los ríos, no te inundarán. Cuando andes por el fuego, no te quemarás ni la llama te abrasará" (Isaías 43:2, RVC).

Sabemos que todos nuestros días están en la mano soberana de un Dios bueno y poderoso. Aun cuando olvidamos nuestro futuro brillante, Él no lo olvida. "Porque yo sé los planes que tengo acerca de ustedes, dice el SEÑOR, planes de bienestar y no de mal, para darles porvenir y esperanza" (Jeremías 29:11). Podemos estar seguros del futuro, no porque sepamos todo lo que nos depara el futuro, sino porque conocemos a Aquel que lo sostiene.

Sabemos que el día se acerca, y pronto estará aquí, cuando juntos oiremos la gran voz de Aquel sentado en el trono, diciendo que el lugar de la morada de Dios está con los hombres y que hace nuevas todas las cosas (Apocalipsis 21:3–5).

Encuentro con el Dios de la esperanza

Es cierto que algunos recordatorios bíblicos del futuro funcionan como advertencias y llamadas de atención para los cristianos: "El fin de todas las cosas se ha acercado. Sean, pues, prudentes y sobrios en la oración" (1 Pedro 4:7, RVC); "vigilemos y seamos sobrios" (1 Tesalonicenses 5:6); "Velen, pues, porque no saben en qué día viene su Señor" (Mateo 24:42).

Pero ese no es el tema principal de la Escritura con respecto a nuestro futuro en Cristo. Los recordatorios bíblicos sobre el futuro apuntan más al consuelo y al valor que a la prudencia o a la corrección. El mensaje de "¡Estar preparados!" es fuerte, pero el mensaje de "¡Ser llenos de esperanza!" es aún más fuerte.

Nuestro futuro es más glorioso de lo que imaginamos. Este futuro brillante es lo que descubrimos y aplicamos a lo largo de este libro.

El capítulo 1 explora la dificultad de afrontar el futuro con confianza. En el capítulo 2 examinamos cómo Jesús nos ayuda a vencer el miedo del futuro. Los siguientes capítulos presentan las categorías bíblicas clave que nos preparan para afrontar el futuro: la gracia futura (capítulo 3), la esperanza (capítulo 4) y las promesas de Dios (capítulo 5). El capítulo 6 celebra la seguridad que tenemos al saber que nada puede separarnos del amor de Dios.

La segunda mitad del libro conecta la confianza que tenemos en Cristo con áreas específicas de la vida: pruebas futuras (capítulo 7), temores de los padres (capítulo 8), decadencia cultural (capítulo 9), la vejez (capítulo 10) y la muerte (capítulo 11). El capítulo 12 concluye con nuestra esperanza postrera de que el Señor Jesucristo hace nuevas todas las cosas.

Debido a la confianza inquebrantable que tenemos en Cristo, estamos aprendiendo, por la gracia de Dios, a afrontar el futuro sin temor y a anticipar un futuro brillante. Como cristianos, descansamos en la verdad de que no hay mejor futuro imaginable que el futuro que ya se nos ha asegurado en el evangelio de la gracia. Y Dios nos ha dado su Espíritu y su Palabra para revelarnos las riquezas de este futuro.

¿El consuelo eterno? Es tuyo. ¿La esperanza maravillosa? Es suya.

Mi oración por ti se expresa en Romanos 15:13: "Que el Dios de esperanza los llene de todo gozo y paz en el creer, para que abunden en la esperanza por el poder del Espíritu Santo" (RVC).

1

Mañana será brillante

La dificultad de afrontar el futuro con confianza

Hubo un día en el otoño del 2008 cuando mi esposa, Meghan, entró en nuestra habitación con una sonrisa y me entregó algunas tarjetas. Ella había trazado dibujos en ellos en un estilo que intencionalmente imitaba el arte de un niño de cinco años. Hemos aprendido que hay mucha alegría y belleza que se encuentra en el arte de traza infantil, por lo que a veces creamos el nuestro.

La primera tarjeta decía "¡Un trabajo nuevo!" en la parte superior, y tenía una figura de un hombre de palo predicando detrás de un púlpito. El hombre de palo, me di cuenta, era yo. Yo había sido un asistente pastoral en la Iglesia Covenant Fellowship en Glen Mills, Pensilvania, y, después de dirigir el ministerio a los solteros por un corto tiempo, se me pidió que fuera el pastor principal. En ese entonces, yo tenía veintiocho años de edad, lo que significaba que no había nada especialmente de *superior* en mí que no fuera el título. Sin embargo, en pocos meses asumiría una posición de ministerio que implicaba dirigir un personal de pastores experimentados y una iglesia que era más grande de la que yo estaba más familiarizado. Fue emocionante, y a la vez intimidante.

No importa qué trabajo tengas, asumir un nuevo rol o enfrentar una tarea difícil tiende a plantear preguntas sobre el futuro: *¿Qué pasa si fracaso o me agoto? ¿Qué pasa si soy ineficaz? ¿Qué pasa si la compañía quiebra o me despide? ¿Cuándo saldré de este rol y cómo será eso? ¿Y si esta responsabilidad me destruye mientras tanto?*

Martyn Lloyd-Jones tiene un capítulo sobre el miedo al futuro en su libro *Depresión espiritual*. Dice que cuando el futuro nos domina y nos oprime, es a menudo porque sabemos la importancia de nuestra asignación y conocemos nuestra propia debilidad e insuficiencia para la tarea.[1]

Días de bendición

La siguiente tarjeta que Meghan me dio decía en la parte superior "¡Una casa nueva!". Había un dibujo de la casa a la que pronto nos mudaríamos, que en esta representación en particular se parecía exactamente a cualquier otra casa que un niño dibujaría, con enormes flores del tamaño de las personas y un sol que brillaba desde un rincón del cielo.

En ese tiempo, éramos una familia de cinco, viviendo en una pequeña casa de dos habitaciones en West Chester, Pensilvania. Fuimos una de las únicas familias en crecimiento en esas casas unidas. Meghan y yo dormimos en un dormitorio, nuestros dos chicos dormían en el otro dormitorio, y nuestra niña dormía en una cuna portátil que apenas cabía en nuestro pequeño baño. Recuerdo a los vecinos que nos miraban asombrados mientras nuestra familia entraba y salía de nuestra minivan en lo que siempre me pareció un elaborado acto de circo.

El nuevo trabajo nos había permitido comprar nuestra primera casa, y encontramos un lugar cerca de la iglesia. Una casa nueva es una gran bendición, y sin embargo, comprar una casa generalmente implica luchar con una serie de preguntas sobre el futuro: *¿Qué tan seguros es nuestro ingreso? ¿Nos proveerá Dios? ¿Cuán estable es la economía? ¿Y si la casa no tiene una estructuralmente buena y se derrumba sobre nosotros? ¿Y si nuestra experiencia es como esa vieja película de Tom Hanks, The Money Pit [Hogar, dulce hogar], donde compran una casa que se ve bien pero la plomería está deteriorada, las escaleras se derrumban, el sistema eléctrico tiene fallas y la bañera se hunde rompiendo el suelo?*

La tarjeta final es la que me dio a conocer la noticia más emocionante: "¡Un nuevo bebé!" En la tarjeta, Meghan había dibujado la figura de una familia con cuatro hijos. Además de los otros cambios en la vida, ahora teníamos la alegría indescriptible de que otro bebé se uniera a la familia.

Los niños tienen una manera única de sacar a la superficie nuestras ansiedades sobre el futuro: *¿Será nuestro bebé sano y se desarrollará normalmente? ¿Arruinarían mis errores como padre a mis hijos? ¿Caminarán mis hijos con el Señor? ¿En qué clase de mundo crecerán mis hijos, dados los desafíos morales y los cambios políticos a los que se enfrenta nuestra cultura?*

Nos quedamos juntos en nuestra habitación ese día, sabiendo que estábamos en medio de un torbellino feliz de cambio. Un futuro desconocido estaba lleno de emoción, bendiciones, incertidumbres y desafíos.

Meghan me dio un abrazo y me besó. Fue uno de esos momentos vívidos en la vida, grabado en mi memoria en video casero, con la voz de Daniel Stern de la serie *Los años maravillosos* que narraban el momento.

Ese otoño del 2008 fue un tiempo de bendición para mí, y el camino por delante fue brillante.

Cuando vienen las pruebas

Al comenzar a escribir acerca de mirar a los días venideros con valor y las buenas noticias de nuestro futuro en Cristo, no había enfrentado ninguna prueba severa en la vida. Estaba más familiarizado con los desafíos que los "cambios felices" pueden traer.

Pero luego, poco después de empezar a escribir, nuestra familia se enfrentó a la mayor prueba que hemos conocido cuando nuestra hija de dos años, la más pequeña de nuestros seis hijos, fue diagnosticada con cáncer.

Esa experiencia me cambió, e inevitablemente ha dado forma a este libro.

El verano del 2016 marcó diez años de servicio para mí como pastor. Ese junio, comencé un año sabático. Pasé los primeros días del año sabático estudiando para este libro. La introducción y el bosquejo de los capítulos se habían completado, el editor aprobó mi propuesta, y yo estaba anhelante por utilizar la primera parte de mi año sabático para estudiar el futuro del creyente en Cristo y por qué todos los cristianos deben afrontar el futuro con confianza.

Pasé un día estudiando las promesas de Dios. Pasé otro día estudiando el regreso de Cristo y la resurrección del cuerpo. Pasé un día entero estudiando Romanos 8.

Durante esa semana, nos dimos cuenta de que nuestra hija estaba teniendo problemas de salud. Su nombre es Agatha; la llamamos Aggie. La respiración de Aggie era agitada, y ella tenía varios ganglios linfáticos inflamados en el cuello y uno en el lado de su pecho.

A la mañana siguiente, yo planeaba viajar con mi esposa, Meghan. Los dos fuimos a una casa de playa por unos días, para reflexionar y celebrar los diez años anteriores de nuestra vida y ministerio. Decidimos tarde el sábado por la noche de llevar a

Aggie al hospital, sólo para estar seguros de que todo estaba bien con ella.

Llamé a Marty Machowski, quien es un buen amigo, compañero pastor, autor talentoso y mi líder de grupo pequeño. Para sus hijos, Marty escribe libros; para mis hijos, escribe libros *y* sirve como 'niñero' de emergencia. Cuando Marty llegó para cuidar a nuestros hijos, Meghan y yo nos fuimos al hospital con Aggie.

Puse en mi bolsa los dos libros que había estado leyendo ese día. (Algunas personas van a lugares sin llevar libros con ellos, pero eso me parece una forma terrible de vivir.) Uno de los libros fue un valioso libro de Todd Billings llamado *Gozo en el lamento: Luchando contra el cáncer incurable* y *La vida de Cristo.* Billings, a la edad de treinta y nueve años fue diagnosticado con una rara forma de cáncer incurable. Yo estaba aprendiendo de él el papel del lamento en la vida cristiana, y cómo afrontar el futuro con confianza en medio de un sufrimiento severo.

El otro era un gran libro de Ray Ortlund sobre Romanos 8, llamado *Vida sobrenatural para personas naturales.* Una de las cosas que había leído en ese libro es esta frase:

> Una fuerte confianza en las intenciones sinceras de Dios y su cuidado que nos rodea nos fortalecen para enfrentar cualquier cosa que la vida nos arroje.[2]

No sabía lo que la vida me arrojaría ese mismo día.

Sólo unas horas después de leer esa frase, estábamos en el hospital con Aggie. La pusieron sobre su espalda y ella no podía respirar. Inmediatamente la trasladaron a la UCIP (Unidad de Cuidados Intensivos Pediátricos), donde proporcionan el más alto nivel de atención a los niños enfermos.

Fue una noche larga sin dormir y muchas lágrimas, mientras orábamos para que la vida de Aggie fuera preservada. Quedamos sorprendidos y desconsolados cuando nos dijeron que Aggie tenía un tipo de cáncer llamado leucemia linfoblastica aguda. Durante las siguientes tres semanas, Meghan y yo vivimos en el hospital. Actualmente, Aggie continúa con un plan de tratamiento de dos años con quimioterapia y citas regulares en el hospital.

Este libro no es una autobiografía, pero lo he escrito en medio de una lucha muy personal para afrontar mi propio futuro con confianza. A menudo me quedo sin la esperanza y el valor que debo tener como cristiano. He escrito en estos capítulos las verdades que necesito recordar una y otra vez.

Aun así estaré confiado

Cualesquiera que sean nuestras circunstancias, Dios ha prometido que tenemos una ayuda siempre presente en tiempo de necesidad (Hebreos 4:16). Si dependiera de nosotros mismos, nuestros corazones estarían gobernados por el miedo. Pero Dios no nos ha dado un espíritu de temor. Nos da fuerza, como dice el himno "Grande es tu fidelidad", "eres mi fuerza, mi fe, mi reposo y por los siglos mi Padre serás".

Jesucristo nos empodera para afrontar el futuro con confianza.

En Salmos 27:3, el salmista declara: "Aunque acampe un ejército contra mí, mi corazón no temerá. Aunque contra mí se levante guerra, *aun así estaré confiado*" (cursiva mía).

Cuando miramos al futuro, vemos ejércitos que acampan contra nosotros. Vemos nuestro propio pecado, vemos un mundo opuesto a Dios, vemos la creación que gime bajo los efectos de la caída, y vemos al Diablo mismo acechándonos. Escuchamos el rumor de guerra. Y nos sentimos débiles. Sabemos que la enfermedad, las dificultades y la muerte nos esperan. Cuestionamos nuestra fortaleza espiritual y dudamos de nuestra seguridad. El futuro parece fuera de control.

En estos momentos, Cristo viene a nosotros y nos ayuda a levantar nuestras cabezas cansadas. *"Aun así estaré confiado"*. Este es el grito de guerra del cristiano: *¡Aun así estaré confiado!* "Fortalezcan las manos débiles; afirmen las rodillas vacilantes. Digan a los de corazón apocado: '¡Fortalézcanse; no teman!'" (Isaías 35:3–4, RVC).

La razón de nuestra confianza se da en Salmos 27:1: "El SEÑOR es mi luz y mi salvación; ¿de quién temeré? El SEÑOR es la fortaleza de mi vida; ¿de quién me he de atemorizar?"

No estás sin luz en la oscuridad.

No estás exento de esperanza.

Cristo es la fortaleza de tu vida.

Como nuestra fortaleza, Cristo no viene a hacer nuestra vida fácil, sino a defendernos del miedo. Nuestra inquietante anticipación de los problemas es a menudo más preocupante que el problema en sí. Por lo tanto, nuestra necesidad no es tanto ser librados de las pruebas presentes como de ser librados de nuestros temores del futuro.

Optimismo divino

Aquellos que están en Cristo tienen toda la razón para ser optimistas sobre el futuro. La esperanza domina nuestra perspectiva. Nos reímos de los días venideros. Miramos todo lo que podría venir a nuestro camino en la vida y nos consideramos más que vencedores.

La Biblia promueve el optimismo, pero es un cierto tipo de optimismo. El nuestro no es el optimismo secular del pensamiento positivo, sino el optimismo divino de la esperanza cristiana. Este optimismo está marcado por el realismo y mezclado con el dolor. Estamos como entristecidos pero siempre gozosos (2 Corintios 6:10, RVC). Sabemos que en este mundo tendremos aflicción, pero necesitamos ¡tener valor! ¡Cristo ha vencido al mundo! (Juan 16:33, RVC). Por la noche dura el llanto, pero al amanecer vendrá la alegría (Salmos 30:5, RVC).

El optimismo natural es simplemente una cuestión de temperamento, y no es una virtud ni un requisito para el cristiano. El optimista temperamental no tiene una ventaja sobre el pesimista temperamental en la vida cristiana o en el ejercicio de la esperanza cristiana. La verdadera esperanza prospera en la oscuridad. Es a través de las lágrimas de lamento que vemos la belleza de nuestra esperanza con mayor claridad.

Este libro presenta el mensaje del optimismo cristiano, con la voz de la confianza en Cristo, basado en su obra terminada y en la promesa de la gracia futura.

Randy Alcorn dice: "Debido a la certeza del sacrificio expiatorio de Cristo y sus promesas, el realismo bíblico es la confianza".[3]

En la iglesia, recientemente hemos estado cantando un himno de Mary Bowley Peters llamado "Oh todo estará bien". Ha sido un gran aliento, ya que procuro mirar hacia adelante con confianza.

> Hacia el sol, do Dios lo preparó,
> Cantemos, sí, en alta voz; dad glorias al Señor y Dios,
> y sobre todo, el refrán:
> "¡Oh, está todo bien!"
> Aunque morir nos toque sin llegar, ¡oh, qué gozo y paz!
> Podremos ya, sin penas ni dolor, con los justos morar.
> Mas si la vida Dios nos da, para vivir en paz allá,
> alcemos alto el refrán: "¡Oh, está todo bien!"[4]

Sí, a la luz del carácter y las promesas de Dios en Cristo, ¡oh, está *todo* bien! ¡El futuro brillante viene! Nuestro futuro es mejor de lo que podemos comprender. El futuro está lleno de gozo.

El futuro está lleno de gozo

Cornelis Venema, en su excelente libro, *La promesa del futuro*, afirma a los cristianos:

> El futuro no se avecina oscuramente en el horizonte como algo que temer. Es algo que se anhela y se anticipa con ansias, algo que el creyente está convencido es brillante con la promesa de la consumación y la perfección de la obra salvadora de Dios.[5]

Del mismo modo, Charles Spurgeon dice:

> Un cristiano puede esperar con gozo el futuro. El futuro está lleno de gozo. Es un paso más cerca a la gloria, un paso más cerca del cielo, una milla más de haber navegado a través del peligroso mar de la vida, una milla más cerca al hogar. Mañana es una lámpara fresca de la promesa cumplida que Dios ha puesto en su firmamento. Utilízala como una estrella guía o como una luz para animar tu camino. Mañana el cristiano puede regocijarse. Puedes decir que hoy es negro, pero yo digo que el mañana se acerca. Te remontarás en sus alas y huirás. Dejarás atrás el dolor. Anímate, compañero cristiano, mañana nada negativo puede haber para ti.[6]

El futuro está lleno de gozo. No sabes todo sobre tu futuro, pero conoces las partes más importantes.

- Dios estará contigo.
- Cristo orará por ti.
- El Espíritu Santo te dará poder.

- Dios suplirá todas tus necesidades.
- El Señor te protegerá.
- El amor de Dios te sostendrá.
- Todas las cosas obrarán para tu bien.
- La derrota del pecado y la muerte es segura.
- Verás a Cristo cara a cara.
- Adorarás al Cordero que fue crucificado.
- Tu cuerpo resucitará.
- Ya no sufrirás penas.
- Estarás con tus seres queridos en Cristo.
- Serás bien recompensado.
- Cristo hará nuevas todas las cosas.

No podemos dejar que esta visión bíblica del futuro se borre.

Tengo este problema en la vida donde a veces mis anteojos se ensucian bastante y ni siquiera lo noto. Luego, después de unas semanas, recuerdo que debo limpiar mis anteojos, o los limpio porque alguien me dice que apenas pueden ver mis ojos. De repente, el mundo entero es nuevo. Todo está claro.

Así es la esperanza. La esperanza elimina la sombra de nuestros miedos y nos da una perspectiva clara sobre las circunstancias cambiantes, las penas presentes, los desafíos de crianza, el envejecimiento, el declive cultural, la política, la incertidumbre económica, la muerte y el futuro de todas las cosas.

Al aceptar nuestro futuro en Cristo, da forma a nuestra vida y a nuestro carácter en el presente.

Necesito este libro tanto como cualquiera otra persona. Quiero crecer para poder mirar al futuro con un denuedo inquebrantable. Y quiero también ayudar a otros cristianos a experimentar esta esperanza llena de gozo.

¿Cómo afrontamos el futuro con confianza en Cristo? Comienza con escuchar a Jesús hablar a nuestros temores.

Preguntas para reflexionar

13. Lee Salmos 27. ¿Cuáles son algunas de las verdades que ayudaron al salmista a enfrentar el futuro sin temor?
14. ¿Cómo es el miedo respecto al futuro en tu vida? Dedica tiempo para orar para que Dios te dé denuedo y te libre del temor al futuro.

2

Jesús habla a nuestros temores

Venceremos el temor al futuro al recordar nuestro futuro en Cristo

La noche antes de la muerte de Jesús, él pronunció palabras de gran importancia a sus discípulos. Él sabía que había llegado la hora tan esperada. Él sabía la traición vil que debía enfrentar, la muerte agonizante que debía sufrir, la feroz ira que debía soportar. Y él conocía que los corazones de sus discípulos estaban apenados con respecto al futuro.

Los capítulos 13 al 17 del Evangelio de Juan registran las palabras que Jesús habló esa noche. Él dijo a sus discípulos que regresaría al Padre. Explicó que se iba y que ya no estaría con ellos. No sólo eso, les dijo que permanecerían en un mundo en el que serían aborrecidos. Dijo que serían expulsados de las sinagogas e incluso ejecutados.

¡Suficiente para un discurso de aliento! ¿Qué clase de entrenador le dice a su equipo que van a ser masacrados?

Mientras los discípulos consideraban su futuro, estaban turbados, con miedo.

¿Lo lograremos? ¿Cómo podemos afrontar el futuro? Si Jesús realmente se preocupa por nosotros, ¿por qué nos dejaría solos?

Tendemos a pensar que la gravedad de nuestra ansiedad es anormal, y la ansiedad gana impulso a través de esa mentira. Pero este pasaje de Juan es un recordatorio de que no estamos solos en sentir la turbación de nuestros corazones y el temor. Nuestros presagios de preocupación y negativismo son comunes a la humanidad.

"No se turbe su corazón ni tenga miedo"

Los discípulos de Jesús ocuparon un lugar único en la historia de la salvación. Ellos estaban a punto de presenciar al Hijo de Dios ser llevado a la cruz y ascendido al trono del cielo. Y sin embargo, no estaban preocupados por Jesús esa noche; sólo pensaban en sí mismos. Jesús dijo a sus discípulos: "Pero ahora voy al que me envió, y ninguno de ustedes me pregunta: '¿A dónde vas?'" (Juan 16:5). La ansiedad tiende a producir egocentrismo. El miedo al futuro nos distraerá, nos consumirá, nos esclavizará y nos robará el consuelo y el valor. Cuanto más fuerte sea nuestra ansiedad, más débil será nuestra comunión con Dios y más vulnerables somos ante los ataques de Satanás. "En la quietud y en la confianza estará su fortaleza" (Isaías 30:15), pero nuestra preocupación por el futuro nos debilita y nos agota.

A veces pensamos que la preocupación nos ayudará a descubrir soluciones y controlar el futuro, pero no lo hará. La preocupación nunca ha preparado a nadie para nada. No se puede controlar el futuro a través de la ansiedad. La preocupación es un ladrón del gozo; es un mentiroso y un oportunista. La preocupación promete preparación, pero conduce al pánico.

Jesús conoce las preocupaciones de su pueblo. Nos rescata de nuestros temores porque se preocupa por nosotros. Este es el testimonio de los redimidos: "Yo busqué al Señor, y él me oyó y de todos mis temores me libró" (Salmos 34:4). Nuestra propia vida a menudo ha evidenciado el poder de Dios para librarse del miedo.

La noche antes de ser crucificado, Jesús dijo: "No se turbe su corazón ni tenga miedo" (Juan 14:27, RVC). Aquí está el Hijo de Dios, a pocos minutos de cargar los pecados del mundo, ¡pero él consuela a los demás! Esto me sorprende cada vez que lo considero. De camino a la cruz, Jesús habla a nuestros miedos. Él se acerca a nosotros. Cuida de nosotros como nadie más y ama a sus discípulos hasta el final.

Consideremos la vida y el carácter de Aquel que nos dice que no estemos preocupados. Tenemos un Salvador que experimentó todo lo que tememos: experimentó la pobreza de no tener dónde reclinar la cabeza (Mateo 8:20); lloró de angustia junto a la tumba de Lázaro (Juan 11:35); la gente lo rechazó y se llenó de ira contra él (Lucas 4:28–29); fue calumniado y muchos dieron falso testimonio en su contra (Marcos 14:56); conocía la traición de un hombre que decía ser un amigo (Mateo 26:15); y fue injustamente juzgado, burlado, golpeado y crucificado (Marcos 15:16–37).

Sin embargo, Jesús siempre miró al futuro confiando en los buenos propósitos del Padre. En Juan 17, Jesús anticipa su crucifixión y exaltación con un sentido de victoria mientras ora a su Padre. Lucas 9:51 dice que afirmó su rostro para ir a Jerusalén, cumpliendo la profecía de Isaías de un Siervo que pondría su rostro como un pedernal. Hebreos 12:2 dice que Jesús soportó la cruz por el gozo que tenía delante de él. Se humilló a sí mismo haciéndose obediente a la muerte en previsión del día en que se doble toda rodilla y toda lengua confiese que Jesucristo es Señor (Fil 2:8–11).

Cristo es nuestro precursor. Estamos unidos a él. Y porque se enfrentó a su futuro, y ha asegurado nuestro futuro y reina soberanamente sobre el futuro, es que podemos enfrentar todo lo que se avecina.

¿Quién está mejor preparado para hablar a tus temores? Sin duda, es el Señor Jesucristo. "Porque no tenemos un sumo sacerdote que no puede compadecerse de nuestras debilidades, pues él fue tentado en todo igual que nosotros pero sin pecado" (He 4:15).

El amor de Cristo

Jesús habla de nuestras ansiedades sobre el futuro en Lucas 12. En los versículos 4 al 8, RVC, dice:

> "Y les digo a ustedes, mis amigos: No teman a los que matan el cuerpo y después no tienen nada peor que hacer. Pero yo les enseñaré a quién deben temer: Teman a aquel que, después de haber dado muerte, tiene poder de echar en el infierno. Sí, les digo, a este teman. ¿No se venden cinco pajaritos por dos moneditas? Pues ni uno de ellos está olvidado delante de Dios. Pero aun los cabellos de la cabeza de ustedes están todos contados. No teman; más valen ustedes que muchos pajaritos. "Les digo que todo aquel que me confiese delante de los hombres, también el Hijo del Hombre le confesará delante de los ángeles de Dios".

Esto es muy diferente a la forma en que estamos acostumbrados a plantear el miedo al futuro en nosotros mismos y en los demás.

Jesús no nos dice que seamos más como el optimista natural. Los que se preocupan no deben envidiar a los apáticos. No es raro en un matrimonio tener una persona que tiende más a la ansiedad y la otra se inclina más a la "fe". Pero a menudo lo que se ve como fe es optimismo natural. Lo que parece firmeza es a veces indiferencia. Tal vez desees ser más relajado en tu temperamento, pero esa no es la respuesta. Ser más relajado probablemente significaría que te vuelves menos responsable, menos consciente, y menos participante.

Además, recuerda que Jesús no desprecia nuestros temores. Él no nos insulta. Él no dice: "Deja de preocuparte como un idiota". Él no nos ordena dejar de temer sin darnos también las armas en la lucha contra el temor. Él nos escucha. Razona con nosotros. Es compasivo, nos llama sus amigos y corrige con bondad nuestros temores pecaminosos. Nos dice: "Ustedes valen más que muchos gorriones".

La fuerza de nuestras ansiedades diarias juntamente con nuestra visión borrosa del futuro es a menudo desalentadora. Pero debemos recordar que la presencia de ansiedad no significa que tengamos fe. Para los que estamos en Cristo necesitamos saber que nuestra fe nos define más profundamente que nuestras ansiedades. Dios no te ha olvidado; él es el que sostiene tu fe en él.

Jesús también muestra los límites de las cosas que tememos en esta vida. No teman a los que matan el cuerpo, dice, "y después no tienen nada peor que hacer". Más bien, dice, teme a Aquel que tiene autoridad sobre tu destino eterno. En otras palabras, debemos comparar las cosas futuras de las que tendemos a preocuparnos con lo único que realmente merece nuestra preocupación: el juicio divino en el infierno.

Esto no es un intento de asustarnos; sino el propósito es llenarnos de valor y consuelo. Finalmente, el punto principal de Jesús no es "podría ser peor". Él dice que será absolutamente mejor. Jesús nos recuerda del infierno eterno del cual nos ha salvado para renovar nuestra esperanza en él.

¿Te has detenido a considerar cuál sería tu futuro sin Cristo? El temor gana ventaja cuando olvidamos el futuro que merecemos. Nunca debemos olvidar que Jesús planteó claramente acerca de lo único que realmente debemos preocuparnos. Romanos 5:8

dice que mientras aún éramos pecadores, Cristo murió por nosotros. "Luego, siendo ya justificados por su sangre, cuánto más por medio de él seremos salvos de la ira" (Romanos 5:9).

El futuro es terrible para aquellos que no están en Cristo. Serán "castigados con eterna perdición" (2 Tesalonicenses 1:9, RVC). A todo pecador que no se arrepiente "él también beberá del vino del furor de Dios que ha sido vertido puro en la copa de su ira" (Apocalipsis 14:10, RVC).

Pero la gloria del Evangelio, como lo expresa John Stott, "el amor divino triunfa sobre la ira divina por el sacrificio divino".[1]

No eres salvo por tu propia valentía o ingenio, ni por ninguna buena obra que hayas hecho, sino por reconocer y aceptar al Señor Jesucristo. Este futuro libre de ira no está asegurado por tu vida sin preocupaciones, sino por la vida libre de pecado de Jesús y su muerte sustituta. Al eliminar el miedo al juicio y al infierno, Cristo nos hace invencibles. Se acerca el día en que el Hijo del Hombre reconocerá a cada uno de los que son suyos ante los ángeles de Dios (Lucas 12:8). Cristo nuestro mediador confesará nuestro nombre. Y lejos de ser un día de lamento y de vergüenza, nos presentará irreprensibles delante de su gloria con grande alegría (Judas 24).

Del temor a la fe

Presta atención cómo Jesús nos lleva del temor a la fe. No es que debamos dejar de pensar en el futuro. Más bien, *vencemos el temor al futuro recordando nuestro futuro en Cristo.* Esta simple verdad tiene implicaciones de gran alcance para nuestra vida. Si al presente nos vence el temor y la ansiedad con respecto a nuestro futuro, es porque hemos perdido de vista nuestro verdadero futuro en Cristo.

¿Qué dice Jesús a sus débiles discípulos en Juan 13–17 cuando la confianza disminuye, el miedo aumenta y ellos están preocupados por el futuro?

Un lugar preparado

En Juan 14, Jesús les recuerda que les va a preparar un lugar para ellos: "Y si voy y les preparo lugar, vendré otra vez y los tomaré conmigo para que donde yo esté ustedes también estén" (14:3).

Esta es la verdad que Anne Bradstreet usó para luchar contra su temor al futuro cuando su casa fue destruida por el fuego. Anne era una madre de ocho hijos que vivían entre los colonos peregrinos en Massachusetts. En medio del dolor y la pérdida, ella encontró la fortaleza para alabar a Dios con un corazón contento al recordar su futuro hogar.

> Y cuando ya no podía mirar,
> bendije el nombre de quien dio y quitó,
> que ahora dejó mis bienes en el polvo...
> Luego viene la mirada hacia adelante:
> Tienes una casa preparada en lo alto
> construida por ese poderoso Arquitecto,
> ricamente amueblada con gloria,
> que permanece firme aunque esta no esté.[2]

Jesús nos recuerda que él es el Arquitecto Poderoso. Él se ha ido a preparar una casa allá arriba y un lugar permanente y ricamente amueblado para ti. Él volverá a llevarnos allí, cuando el cielo y la tierra se vuelvan a unir.

La presencia del Espíritu

Jesús también promete en Juan 14:16 que su obra en la tierra no ha llegado a su fin, sino que se lleva a cabo a través de otro ayudador. "Y yo rogaré al Padre y les dará otro Consolador para que esté con ustedes para siempre." Esto significa que:

- La paz que Jesús da será experimentada por medio del Espíritu.
- La obediencia que Jesús requiere vendrá por el poder del Espíritu.
- La verdad que Jesús enseñó será iluminada por el Espíritu.
- El testimonio que Jesús nos llama a dar, aun a través de la oposición, recibirá denuedo por el Espíritu.

Vemos a estos mismos discípulos llenos del Espíritu en el libro de los Hechos. Ellos son invencibles y valientes, alabando a Dios con gozo santo y haciendo muchas señales y maravillas. Ellos desafían los poderes terrenales y declaran que no pueden sino hablar de lo que han visto y oído como testigos de Cristo (Hechos 4:20). Cuando son encarcelados y golpeados, se gozan por ser tenidos dignos de sufrir deshonra por el nombre de Jesús (Hechos 5:41).

¿Qué explica este poder espiritual? Se les había dado otro Ayudador, el Espíritu Santo, para estar con ellos para siempre. El Espíritu afirmó el futuro inquebrantable de ellos en Cristo.

La promesa de la vida

En Juan 14:19, Jesús da a sus discípulos la promesa de la vida futura: "Porque yo vivo, también ustedes vivirán". Aquí está la esperanza de la victoria sobre la muerte a través de nuestra unión con Cristo. Su muerte y resurrección vencerían la muerte y asegurarían la vida eterna para su pueblo.

Cristiano, resucitarás así como Cristo resucitó al tercer día. Este es tu futuro en Cristo. El pesimismo, el pánico, la desesperación y la preocupación darán paso a un futuro brillante.

En Juan 17, Jesús, nuestro gran Sumo Sacerdote, ora por el futuro de sus discípulos. Recuerda a sus discípulos su último anhelo por nosotros y el futuro que él ha asegurado para nosotros al orar en voz alta: "Padre, quiero que donde yo esté, también estén conmigo aquellos que me has dado para que vean mi gloria que me has dado, porque me has amado desde antes de la fundación del mundo" (Juan 17:24, RVC).

Un día ya no experimentaremos dificultades ni tentaciones en relación con el futuro. No es hasta que partamos de este mundo que experimentaremos plena liberación del temor. Pero Jesús no nos ha dejado sin las verdades necesarias para vencer el temor y crecer en la esperanza.

El Dios que se deleita en bendecir

En Lucas 12, Jesús habla de nuestro temor de lo que pueda causarnos daño, y de nuestros temores relacionados con el dinero, la provisión y las posesiones materiales. Entonces dice en Lucas 12:32, RVC: "No teman, manada pequeña, porque a su Padre le ha placido darles el reino".

Así es como Jesús habla a nuestras ansiedades sobre el futuro. El mandato ("No teman") es seguido por la compasión ("manada pequeña") y el consuelo ("porque a su Padre le ha placido darles el reino"). La frase "ha placido" nos dice algo sobre el corazón del Padre hacia nosotros, y esto es precisamente lo que nuestros temores del futuro tienden a no creer. ¿Crees que Dios se deleita en bendecirte? Él no es un gobernante miserable, un rey de corazón frío, o un hombre avaro como el personaje Ebenezer Scrooge del cuento de Navidad.

Este versículo nos recuerda quién es Dios y quiénes somos en relación con él. Si somos una manada pequeña, él es nuestro Pastor. Si él es nuestro Padre, nosotros somos sus hijos. Si Él nos da el reino, es nuestro Rey. En Cristo, el Creador del universo es nuestro Pastor, Padre y Rey.

Nuestro Pastor. Se nos llama ovejas ("manada pequeña") porque pertenecemos a Dios, y porque Dios quiere que le busquemos para recibir su guía, provisión y protección todos los días de nuestra vida. Una manada pequeña está llena de criaturas dependientes. Una manada pequeña es propensa a vagar. Una manada pequeña no es especialmente inteligente, y cae fácilmente en pánico.

Y sabes lo que hace una oveja para defenderse, ¿verdad? Nada. La manada pequeña no tiene mecanismo de defensa. La impotencia y la dependencia de las ovejas nos ayudan a comprender el carácter y la obra del Buen Pastor. Una de las marcas de un pastor hábil es la capacidad de tratar cada aflicción que sufren las ovejas. Con un buen pastor como Cristo que nos guía todos nuestros días, ninguna de sus ovejas debe temer.

Nuestro Padre. El Padre de Jesús también es nuestro Padre. El Padre nos recibe a su familia y nos ama con el mismo amor que tiene por su Hijo eterno. Él es un buen Padre, lleno de afecto y compasión. Jesús enfatiza la paternidad de Dios como la solución a nuestros temores y ansiedades.

Nuestro Rey. Él es soberano y tiene el control. Si Dios sólo fuera Pastor y Padre, podría querer hacernos el bien, pero no tener el poder de hacerlo. Si sólo fuera Rey, podría ser poderoso pero no querer hacernos el bien. Dios es soberano *y* misericordioso. ¡Es el tipo de Rey que da su reino a sus súbditos! Por medio de nuestra unión con Cristo, nos hemos convertido en herederos con Cristo y recibiremos todos los privilegios y las bendiciones de su reino. El reino es nuestro. La provisión es nuestra. Dios es nuestro, y nosotros pertenecemos a Dios.

Esta es la palabra de Cristo a nuestras almas atribuladas hoy: "No teman, manada pequeña, porque a su Padre le ha placido darles el reino".

John Flavel escribe: "Si comprendemos y creemos plenamente qué poder hay en la mano de Dios para defendernos, qué amor hay en su corazón para ayudarnos y qué fidelidad hay en sus promesas, nuestro corazón estará tranquilo: nuestro valor se fortalecerá y nuestro temor disminuirá".[3]

Esa es nuestra oración mientras Jesús habla a nuestros temores: Que nuestro corazón esté tranquilo. Que nuestro valor se fortalezca. Que nuestro miedo disminuya. Que recibamos el empoderamiento por la palabra de Cristo y el ministerio del Espíritu para afrontar un futuro brillante con confianza en Dios.

Preguntas para reflexionar

1. ¿Qué hace de Jesús tan competente para hablar a nuestros temores?
2. ¿Por qué es importante distinguir entre la fe y el optimismo natural?

3

Más gracia vendrá

Dios suple nuestras necesidades dándonos gracia futura

Una mañana cuando mi hija Aggie estaba débil debido a su lucha contra el cáncer y nuestra familia estaba muy agotada, mi esposa me leyó una cita de Charles Spurgeon del libro *Junto a aguas de reposo*. (De todas las cosas loables que puedes buscar en un cónyuge, agrega esto a tu lista: busca a alguien que te pregunte si puede leerte las citas de Spurgeon.)

Meghan me leyó esa mañana con lágrimas. Eran lágrimas de dolor, lágrimas de consuelo, lágrimas de esperanza.

> Tenemos grandes demandas, pero Cristo tiene grandes provisiones. Entre aquí y el cielo, podemos tener grandes anhelos de los que hemos conocido. Pero a lo largo del trayecto, cada lugar de descanso está listo; hay provisiones, hay un buen ánimo y no se ha pasado por alto nada. El depósito del Eterno es absolutamente perfecto.[1]

Los puestos militares generalmente incluyen un depósito, que es una tienda de alimentos y suministros. Nuestras necesidades son muchas, pero Cristo conoce nuestras necesidades y está preparado para satisfacerlas. Él va delante de nosotros y promete suministrarnos gracia en el camino.

¿Crees eso? Los lugares de reposo *te* esperan. Hay provisiones listas para *ti*. Te esperan nuevos suministros de paz, gozo y esperanza. En la bondad del Señor, nada se pasa por alto. La gracia futura está esperando.

John Piper, quien escribió un libro sobre la idea de la gracia futura, dice: "Mi esperanza por la bondad futura y la gloria futura es la gracia futura".[2]

El principio del maná

En el libro de Éxodo 16, el pueblo de Dios estaba en el desierto y necesitaba provisiones. Habían dejado Egipto casi dos meses antes, y ahora temían morir de hambre en el desierto.

Dios prometió que enviaría pan, llamado maná, del cielo. Pero mandó que el pueblo sólo recogiera cada día la porción de un día. Cuando llegó el pan, Moisés les dijo que de que no guardasen nada para el día siguiente. Ellos debían recoger sólo lo que comerían esa misma mañana.

Como lo hacemos tan a menudo, el pueblo de Dios no hizo caso. Al día siguiente, el maná extra crió gusanos y hedió. Pronto se dieron cuenta: durante los siguientes cuarenta años, hasta que llegaron a la tierra de Canaán, el pueblo recogió su maná cada mañana.

Este es el principio del maná: *Dios da gracia para hoy, y mañana traerá nuevas misericordias.* Somos el pueblo de Dios en el desierto, de camino a la Tierra Prometida del cielo. Al igual que Israel, a menudo dudamos de que lo logremos. Al igual que Israel, a menudo somos rápidos para desconfiar de la providencia, la bondad y la sabiduría de Dios. Al igual que Israel, a menudo olvidamos que Dios es el Dios del mañana, y el Dios de la gracia futura.

En *El Progreso del Peregrino*, el hombre llamado Cristiano debía pasar por la colina llamada Dificultad. Pero en el fondo de la colina había un manantial, del cual Cristiano podría beber y tener un refrigerio. Él se alentó a sí mismo mientras comenzaba a subir la colina, pidiendo a sí mismo a no ser débil ni temer. Pero la colina iba volviéndose mucho más empinada. Cristiano entonces dejó de correr y comenzó a caminar, luego dejó de caminar y comenzó a arrastrarse sujetándose con las manos y avanzando de rodillas porque la colina era tan empinada.

Pero entonces: "En medio de la colina había un lugar de reposo agradable preparada por el Señor de la colina para el refrigerio de los viajeros cansados."[3]

Un lugar de reposo, preparado a propósito para el alma cansada que necesita un refrigerio. ¿La lección? Si Dios te llama a recorrer la colina de la dificultad, él bondadosamente proveerá lugares de reposo para ti en el camino.

Actualmente estoy en mi propia colina de dificultad, pero Dios ha sido fiel a su Palabra y no me ha dejado sin tiempos de reposo y paz. Isaías 49:10, RVC dice: "No tendrán hambre ni sed; ni el calor ni el sol los golpeará. Porque el que tiene misericordia de ellos los guiará y los conducirá a manantiales de aguas".

Dios da suficiente gracia para hoy, y cada nuevo día recibe la gracia fresca en Cristo de la mano amorosa de nuestro Padre.

A veces mientras reposas en cama en la noche y piensas, *no voy a tener suficiente para la semana*. O miramos las circunstancias de los demás y pensamos: *Si yo sufriera de esa manera, nunca sobreviviría. Si yo experimentara esa pérdida, no podría seguir.*

El problema es que comenzamos a conjeturar sin tener en cuenta la provisión fresca de la gracia.

El temor al futuro es siempre el resultado de olvidar la gracia futura. J. C. Ryle dice: "Si mañana trae una cruz, Aquel que la envía puede y te dará la gracia para soportarla".[4] No se nos ha dado la gracia para todas las circunstancias posibles; se nos ha dado gracia y se nos dará gracia para las circunstancias que en realidad enfrentamos. Dios provee para nuestras necesidades futuras dándonos la gracia futura.

¿Crees que Dios te dará la gracia que necesitas para todo lo que te llama hacer y todo lo que él trae a tu vida? No se trata de tu fidelidad, sino de la fidelidad de Dios a sus promesas concernientes a tu vida. ¿Crees que sus misericordias son nuevas cada mañana (Lamentaciones 3:22–23), que su bondad y misericordia te seguirán todos los días de tu vida (Salmos 23:6), que espera para tener piedad de tu vida (Isaías 30:18)?

En Cristo aprendemos que las pruebas y los cambios inesperados irán acompañados de nuevas fortalezas. Confiar en la gracia futura significa saber que Dios nos dice lo que le dijo a Moisés: "Mi presencia irá contigo, y te daré descanso" (Éxodo 33:14, RVC).

Un mundo de cambio

Una razón por la que debemos tener convicciones firmes con respecto a la gracia futura es porque el cambio con seguridad vendrá. El paso del tiempo siempre trae el cambio, de la infancia a la vejez.

La película Pixar *Intensa-Mente* [*Del revés*/España] no es sólo un estudio de las emociones, sino que también es una reflexión sobre el cambio en la vida de una niña. Una niña de once años llamada Riley se muda del medio oeste en Minnesota, donde disfruta de una vida saludable, la amistad, el hockey y una gran casa y patio. Su familia se muda a San Francisco cuando su padre consigue un nuevo trabajo. Pronto su nueva vida es decepcionante, y ella tiene dificultades para enfrentar a los muchos cambios de la escuela nueva, personas nuevas, casa nueva, vida nueva.

Riley comienza a sentir la pérdida de la estabilidad que ella siempre había conocido. Todas sus emociones (que son los personajes principales de la historia, llamados Furia, Tristeza, Desagrado, Temor y Alegría) comienzan a disentir entre sí sobre cómo manejar los cambios de la vida. Poco a poco, las cosas comienzan a desmoronarse ya que Riley no puede enfrentar al cambio. Ella se distancia de sus padres y sus amigos, y dentro de ella hay "islas de personalidad" que comienzan a desmoronarse y caer. Su vida no es lo que una vez fue, y ella no es la persona que una vez fue.

Otra película de Pixar *Up: Una aventura de altura* también plantea el tema del cambio. En esta película, la trama no está en la vida de una niña, sino en la vida de un anciano. Carl Fredricksen es un viudo anciano. Carl conoció a su esposa, Ellie, cuando eran jóvenes, y ella le habló de su anhelo de tener una casa en un acantilado con vistas a las Cataratas del Paraíso.

Un montaje de cuatro minutos, extraordinariamente hermoso sin diálogo, cuenta la historia de su boda, su aborto espontáneo e incapacidad para tener hijos, los desafíos financieros que les impidieron ir a las Cataratas del Paraíso, la realidad de envejecer juntos, y el dolor de despedirse de quien ha compartido con uno la vida y los sueños.

Cuando Carl cumple setenta y ocho años, ata miles de globos a su casa para viajar a Sudamérica y cumplir la promesa que hizo a Ellie, quien ya ha fallecido: la casa de ellos estará asentada junto a Cataratas del Paraíso.

El cambio también viene a nosotros. No hay promesas de que mi familia, mi trabajo, mi salud o mi casa permanezcan inalterados. De hecho, mis hijos crecerán, mi trabajo algún día lo hará otra persona, mi salud comenzará a fallar lentamente, y mi casa no será mi hogar para siempre.

Sin embargo, nada de esto tiene que ser deprimente, porque las cosas más importantes en la vida nunca cambiarán. Y por cada cambio, el carácter y la gracia de Cristo permanecen constantes.

La mejor manera de prepararse para los cambios de la vida es recordar que la gracia de Dios es inmutable. La razón por la que podemos estar seguros de que la gracia es inmutable se debe a que Cristo es inmutable, y él es la fuente de toda gracia.

Hebreos 13:8 celebra la inmutabilidad del Señor Jesucristo. El autor acaba de instarnos a evitar el amor al dinero (v. 5); habla de la realidad del temor (v. 6); nos ha recordado a nuestros líderes que han ido delante de nosotros a la gloria y ya no están con nosotros (v. 7). Luego, hay una magnifica declaración con respecto a aquel que nunca cambia: "Jesucristo es el mismo ayer, hoy y por los siglos".

"Por los siglos" tiene la totalidad de nuestro futuro a la vista. Si Dios no está sujeto a cambios a través del tiempo o las circunstancias, entonces su carácter bondadoso y trato misericordioso hacia nosotros siempre seguirá siendo el mismo.

Es un error pensar que la gracia es sólo cosa del pasado. Sea lo que sea que venga a tu vida, la gracia te encontrará. Sea lo que sea que experimentes, la gracia estará contigo.

Más admirable de lo que sabemos

Sin minimizar la gloria de la obra consumada de Cristo, necesitamos recuperar un sentido de la gloria de su obra presente y futura. Nunca dejes de hablar de cuando fuiste salvo por la gracia, pero luego habla de cómo eres salvo continuamente por la gracia y algún día serás completamente salvo por la gracia.

La gracia es más admirable de lo que entendemos, y debemos aprender a extraer las riquezas de la gracia futura de Dios.

Los beneficios de la gracia que has experimentado hasta ahora son gloriosos, pero los supera los beneficios que están por venir.

La gracia pasada genera confianza en la gracia futura. No debemos minimizar el papel de la gratitud por la gracia pasada como una motivación bíblica para llevar la vida cristiana. La gracia que ya hemos experimentado debe promover una vida de humildad y alabanza (1 Timoteo 1:12–17), el amor que Cristo ha mostrado debe tomar el control de nuestra vida (2 Corintios 5:14), y debemos presentar nuestro cuerpo ante Dios como sacrificio vivo en respuesta a las grandes misericordias de Dios (Ro 12:1).

Al mismo tiempo, nunca debemos tratar la gracia como cosa del pasado. La gracia es maravillosa, como observa John Newton, no sólo porque nos ha traído a salvo hasta ahora, sino también porque nos llevará a casa.

Hay un ejemplo impresionante del alcance de la gracia en Hechos 20. El apóstol Pablo está preparando la iglesia en Éfeso para su ausencia. Anteriormente él había ministrado en Éfeso durante varios años, y ahora reúne a los ancianos de la iglesia de Éfeso en Mileto. Pablo habla con conciencia de las grandes responsabilidades y los peligros que ellos enfrentarán. Él sabe que es probable que nunca los vuelva a ver en esta vida.

Pablo no comete el error de pensar que el crecimiento de ellos depende de él. Tampoco permite que los peligros y deberes que ellos enfrentan parezcan más grandes que el poder de la gracia. Más bien, Pablo ve a ellos y a su futuro a la luz del poder superior de la gracia futura.

Dice en Hechos 20:32: "Y ahora, hermanos, les encomiendo a Dios y a la palabra de su gracia, a aquel que tiene poder para edificar y para dar herencia entre todos los santificados".

Encomendar significa confiar, comprometerse con otro, ponerse en manos de otro. Pablo dice que encomienda o confía a estos cristianos a la gracia de Dios. ¡Fuimos encomendados a la gracia! ¿Qué más necesitamos? Sin esta gracia, el deber más pequeño sería demasiado grande para nosotros, y la más mínima prueba nos abrumaría. Pero cuando tenemos incluso la menor cantidad de gracia, tenemos el poder para hacer y soportar todas las cosas.

A través de Hechos 20:32 Dios nos habla, recordándonos que su gracia es poderosa para edificarnos, para sostenernos y guardarnos hasta el fin. La palabra de gracia no nos ha salvado sólo para dejarnos a nuestra suerte. ¡La gracia continúa su obra en nosotros! La conquista de la gracia no sólo nos ha *traído* a Cristo (en el pasado), ella nos *edifica* (en el presente) y *algún día nos traerá* a salvo a casa.

Creemos en las inconmensurables riquezas de la gracia de Dios para nosotros en Cristo. Creemos en una gracia que justifica, ¡sí, pero no sólo eso! Creemos en una gracia que santifica. Creemos en una gracia que nos empodera para vivir piadosamente, una gracia que nos libera el poder del pecado anulado. ¡Y creemos en una gracia que glorifica! Creemos en una gracia que nos dará la herencia entre todos los santificados, y hemos puesto nuestra esperanza completamente en la gracia que nos es traída en la revelación de Jesucristo (1 Pedro 1:13).

Gracia para cada necesidad

Un alcance de la realidad de la gracia futura es que debemos aprender a alabar a Dios por la gracia que él aún tiene para dar. Charles Spurgeon observa:

> Así es como debemos tratar con Dios. Alabar a Dios antes de ser liberado. Alabar a Dios por lo que viene. Adorar a Dios por lo que va a hacer. No creo que haya un canto más dulce a oídos de Dios que el canto de quien lo bendice por

> la gracia que aún no ha sido probada, que lo bendice por las respuestas que aún no han sido recibidas, pero que de seguro vendrán. La alabanza por agradecimientos pasados es dulce, pero aún más dulce es la alabanza por tener la confianza plena de que todo estará bien.[5]

También debemos recordar que en Cristo siempre tendremos acceso a la gracia futura para cualquier necesidad que pueda venir. No está bien que los hijos sean reacios a pedir ayuda a un padre, o que los débiles pecadores vacilaran en ir ante el trono de la gracia.

Hay ahora y siempre habrá *gracia perdonadora* cuando el pecado tome ventaja. Efesios 1:7 celebra el perdón de todas nuestras ofensas según las riquezas de la gracia de Dios.

Habrá *gracia que empodera* para caminar con fe y en obediencia. "Lo que oíste de parte mía mediante muchos testigos, esto encarga a hombres fieles que sean idóneos para enseñar también a otros" (2 Timoteo 2:1).

Habrá *gracia consoladora* en medio de todo dolor y pérdida. La gracia y la paz vienen a nosotros en Cristo mediante el "Padre de misericordias y Dios de toda consolación" (2 Corintios 1:2–3).

Habrá *gracia libradora* para salvarnos del peligro. En 2 Timoteo 4:18, Pablo dice: "El Señor me librará de toda obra mala y me preservará para su reino celestial".

Habrá *gracia sustentadora* a medida que enfrentamos pruebas de muchos tipos. Hay momentos en que no seremos librados de las dificultades, debilidades y calamidades. En cambio, el Señor nos promete: "Bástate mi gracia, porque mi poder se perfecciona en la debilidad" (2 Corintios 12:9). A veces la gracia sustentadora, que nos sostiene a través de una prueba, es un testimonio mayor del poder de Dios que la gracia que nos libra, la cual impide que pasemos por la prueba.

Habrá *gracia guiadora* a medida que tomes decisiones sobre el futuro. El Señor promete: "Te haré entender y te enseñaré el camino en que debes andar. Sobre ti fijaré mis ojos" (Salmos 32:8).

Habrá *gracia renovadora* que nos lleve a la gloria eterna. "Y cuando hayan padecido por un poco de tiempo, el Dios de toda gracia, quien los ha llamado a su eterna gloria en Cristo Jesús, él mismo los restaurará, los afirmará, los fortalecerá y los establecerá" (1 Pedro 5:10).

Habrá *gracia que recompensa* cuando estés ante el trono del juicio de Cristo. "Dios le dará a cada uno el reconocimiento que le corresponda" (1 Corintios 4:5 NTV). Dios te recompensará por gracia por el bien que él ha producido en ti por gracia. Tus obras serán imperfectas, y no merecerás recompensa, pero Dios la dará generosamente.

¿Qué más necesitamos si tenemos la gracia futura de Dios a lo largo de nuestra vida? Somos pobres en nosotros mismos, pero encontraremos las riquezas de la gracia en Cristo. Estamos cansados, pero recibiremos fuerza por su gracia. Somos débiles por nosotros mismos, pero seremos fortalecidos sobrenaturalmente por la gracia que hay en Cristo Jesús.

Bendiciones: La gracia va contigo

Me encantan las notables bendiciones de la Escritura. Las bendiciones a menudo se hablan en las iglesias, extendiendo esperanza, aliento y gracia al pueblo de Dios al salir las personas del servicio. Es bueno asegurarnos de salir de nuestras reuniones como cristianos, principalmente conscientes de lo que Dios ha hecho y de todo lo que seguirá haciendo por nosotros en Cristo.

Toda bendición habla de una bendición divina sobre el pueblo de Dios en forma de oración. Estas palabras son un recordatorio de que el Dios de toda gracia está con nosotros, esperando ser bondadoso con nosotros y listo para obrar a favor de nosotros. Les recomiendo un estudio de las bendiciones de las Escrituras.

- Números 6:24–26 es la gran bendición del Antiguo Testamento, que recuerda al pueblo de Dios de su gracia futura: "El Señor te bendiga y te guarde. El Señor haga resplandecer su rostro sobre ti, y tenga de ti misericordia. El Señor levante hacia ti su rostro, y ponga en ti paz".
- La bendición trinitaria a finales de 2 Corintios es sencilla, elegante y gloriosa: "La gracia del Señor Jesucristo, el amor de Dios y la comunión del Espíritu Santo sean con todos ustedes" (2 Corintios 13:14, rvc).
- Primera Tesalonicenses 5:23–24 nos recuerda que la gracia de Dios está obrando fielmente una santificación completa que se realizará cuando Cristo regrese: "Y el mismo Dios de paz los santifique por completo; que todo su ser —tanto espíritu, como alma y cuerpo— sea guardado sin mancha en la venida de nuestro Señor Jesucristo. Fiel es el que los llama, quien también lo logrará. Hermanos, oren también por nosotros".

Aquí hay una bendición más de Hebreos 13:20–21. Es un recordatorio glorioso de que la gracia de Dios te preparará para hacer su voluntad, que su gracia está obrando poderosamente en ti, y que la esperanza de la resurrección y el pacto eterno son tuyos por su gracia:

> "Y el Dios de paz, que por la sangre del pacto eterno levantó de entre los muertos a nuestro Señor Jesús, el gran Pastor de las ovejas, los haga aptos en todo lo bueno para hacer su voluntad, haciendo él en nosotros lo que es

agradable delante de él por medio de Jesucristo, a quien sea la gloria por los siglos de los siglos. Amén".

Preguntas para reflexionar

1. ¿Cómo nos ayuda la verdad de que Cristo es inmutable en medio de las circunstancias cambiantes?
2. Charles Spurgeon exhorta a los cristianos a alabar a Dios por la gracia que aún está por venir. Dedica el tiempo para dar gracias a Dios por algunas de las maneras en que experimentarás su gracia en el futuro.

4

El poder de la esperanza

La esperanza es la expectativa segura de lo que ciertamente sucederá

Fuera de mi oficina cuelga un grabado de una famosa pintura creada por George Frederic Watts en 1886. Tiene como título *Esperanza*. Una mujer está sentada sola sobre un globo terráqueo y su cabeza se inclina por el dolor. Sus ojos están vendados; ella no puede ver el camino a seguir. Ella sostiene un instrumento similar al arpa llamado lira. Todas las cuerdas están sueltas excepto una.

Las cuerdas sueltas representan las decepciones e injusticias de la vida: nuestras expectativas eliminadas, nuestra desesperación, nuestros fracasos, nuestro quebrantamiento. La única cuerda que queda es la cuerda de esperanza: la esperanza de que la música hermosa vuelva a llenar este mundo y llenar nuestras vidas. La esperanza de un futuro mejor.

Martin Luther King Jr. habló sobre la pintura en un sermón de 1959 llamado "Sueños destruidos". Después de describir la pintura, King preguntó: "¿Hay alguien de nosotros que no se haya enfrentado a la agonía de las esperanzas devastadas y los sueños destruidos?" Si aún no lo hemos experimentado, lo enfrentaremos pronto.

King observó que naturalmente no respondemos al sufrimiento y a la decepción con esperanza. En vez nos volvemos contra los enemigos de la esperanza:

- Amargura: una postura que se queja, que encuentra fallas hacia Dios, la vida y otras personas.
- Retraimiento: una tendencia a volverse hacia sí mismo y desvincularse de la realidad.
- Fatalismo: una actitud que dice "sea lo que sea" que concluye que nuestras elecciones y circunstancias no tienen sentido.

En el resto de ese mensaje, King continuó predicando el mensaje de esperanza. "¿Cuál es, entonces, la respuesta? La respuesta está en nuestra aceptación voluntaria de las circunstancias no deseadas y desafortunadas, aun cuando todavía nos aferramos a una esperanza resplandeciente, nuestra aceptación de la decepción finita aun cuando nos aferramos a la esperanza infinita".[1]

Un ancla, un casco y una puerta

El teólogo Herman Bavinck afirma: "La vida de los creyentes está totalmente sostenida y guiada por la esperanza".[2] Para ser sostenidos y guiados como Dios quiere, debemos estudiar lo que su Palabra revela acerca de esta esperanza.

La Biblia utiliza las imágenes de un ancla, un casco y una puerta para describir nuestra esperanza.

Un ancla. Hebreos 6:19–20, RVC, dice que la esperanza es "como ancla de la vida, segura y firme, y que penetra aun dentro del velo donde entró Jesús por nosotros como precursor". El ancla de la esperanza da seguridad en las tormentas de la vida. El propósito eterno de Dios para nosotros es tan seguro como el sacerdocio eterno de Cristo.

La esperanza cristiana no debe confundirse con anhelar solamente. La esperanza no es una expectativa incierta de algo que puede o no suceder. Más bien, la esperanza es una expectativa realista y una anticipación gozosa del bien que está garantizado para todos los que están en Cristo. La esperanza es un recordatorio de que lo mejor está por venir. Jeremías Burroughs dice: "Tenemos grandes cosas en el presente, pero cosas mayores en la esperanza".[3]

Un casco. En el contexto para describir el día venidero del Señor, 1 Tesalonicenses 5:8–9 dice que debemos vestirnos con "el casco de la esperanza de la salvación. Porque no nos ha puesto Dios para ira sino para alcanzar salvación por medio de nuestro Señor Jesucristo". Nuestro Salvador murió por nosotros para asegurar nuestra esperanza en él. Y esta esperanza segura de nuestra salvación final en la era venidera es un casco que debemos ponernos aquí y ahora.

Esto es un consuelo para nosotros cuando nuestra esperanza es poca. Por muy maltrechos que estemos en la guerra, por mucho que la desesperación cobre ventaja, por sombrío que parezca el futuro, por la gracia de Dios tenemos este casco de la esperanza de la salvación. En Cristo, te lo has puesto. Tu casco ya ha sufrido muchos golpes y no te ha fallado.

¿Para qué sirve un casco? Nos protege en la batalla contra nuestros enemigos, que son el mundo, la carne y el Diablo. Este casco preserva nuestra vida y protege nuestro pensamiento. Un casco no significa que nunca irás a la batalla, pero significa que estarás protegido *en* la batalla. Saber que estamos protegidos por la esperanza nos llena de denuedo. Vamos valientemente a la guerra, peleando una buena batalla, dirigida por Cristo nuestro Capitán, porque estamos armados con el casco de la esperanza.

Una puerta. Oseas 2:15 dice que Dios hace del valle de Acor una puerta de esperanza. Eso significa que se deleita en tomar los lugares de los problemas en nuestra vida y transformarlos en lugares de gracia.

Esto cambia la forma en que vemos las pruebas presentes y futuras. El puritano William Gurnall dice que "la esperanza nunca produce más gozo que en la aflicción".[4] "La esperanza", añade, "es el mensajero de Dios que habla a la persona que ha llegado a la conclusión de que nunca podrá sobrevivir a una marea tan dura de aflicción. La esperanza eleva su cabeza por encima de las olas crecientes y dice: 'Ve, porque tu Dios estará contigo'".[5]

Cuando el problema nos rodea y las olas crecientes golpean contra nuestra alma, la esperanza estará allí para levantar nuestra cabeza. Lo que parece ser un valle interminable de penurias conduce a una puerta de esperanza. En la hora más oscura, Dios no nos abandona; Él nos asegura que está cerca.

El futuro controla el presente

Tim Keller una vez dio una ilustración que demuestra el poder fortalecedor de la esperanza. Imagina que hay dos mujeres que son idénticas en edad, estatus socioeconómico, nivel educativo y temperamento. Ambas son contratadas para ser parte de una línea de montaje tediosa, haciendo un trabajo que es repetitivo y aburrido. Ellas hacen este trabajo una y otra vez durante ocho horas cada día. Ellas están ubicadas en habitaciones idénticas, con la misma iluminación, temperatura y ventilación. Tienen el mismo tiempo de descansos.

Sus circunstancias son idénticas excepto por una diferencia: a una mujer se le ha dicho que al final del año recibirá como pago treinta mil dólares, y a la otra mujer se le ha dicho que recibirá como pago treinta millones de dólares.

Después de unas semanas, una mujer se está volviendo loca y quiere dejar el trabajo. La otra sigue trabajando llena de alegría. Lo que hace la diferencia puede reducirse a un factor: la expectativa que ellas tienen del futuro. Keller dice: "Lo que creemos sobre nuestro futuro controla completamente cómo experimentamos nuestro presente".[6]

Este es el poder vigorizante de la esperanza. La esperanza no sólo significa un futuro mejor, sino que invade el presente con gozo y fe. Nos empodera para enfrentar cualquier cosa. Es por eso que oramos: "Que el Dios de esperanza los llene de todo gozo y paz en el creer, para que abunden en la esperanza por el poder del Espíritu Santo" (Romanos 15:13).

Tal vez lo mejor de las cosas

Cuando la película *The Shawshank Redemption* [*Cadena perpetua* o *Sueños de libertad*] se estrenó por primera vez en 1994, nadie predijo que dentro de unos años sería reconocida como la mejor película de los años noventa y que la gente clasificaría la película en las cinco mejores películas de todos los tiempos, juntamente con *Guerra de las galaxias*, *El Padrino*, *En busca del arca perdida* y *Tiburón*.

El escritor y director Frank Darabont cuenta que regularmente recibe cartas de personas que dicen que la película les ayudó a sobrevivir a una relación difícil, o les ayudó a través de una enfermedad realmente mala, o les ayudó a aferrarse cuando un ser querido murió.

Han pasado más de veinte años desde su estreno, y todavía encabeza todas las listas de películas inspiradoras. La película trata sobre el poder sustentador de la esperanza en medio del sufrimiento. Es la historia de un banquero llamado Andy, que es condenado por un asesinato que no cometió. Él mantiene su inocencia y sobrevive a diecinueve años en la prisión estatal de Shawshank en Maine. La prisión está llena de desesperación, pero Andy tiene una perspectiva inquebrantable y llena de esperanza que le da paz y gozo, y le permite sobrevivir al maltrato, el sufrimiento y la injusticia de su encarcelamiento. En un momento dado le dice a un amigo: "La esperanza es algo bueno, tal vez lo mejor de las cosas, y nada bueno nunca muere".

La Escritura habla de esta esperanza buena y viva. La resurrección de Cristo ha inspirado una esperanza en aquellos que le pertenecen. Dios quiere que esta esperanza surja con gloria y poder en el corazón de todo creyente. No es sólo una *buena esperanza* (2 Tesalonicenses 2:16); es una *esperanza viva* (1 Pedro 1:3).

La primera carta de Pedro fue escrita a aquellos que, como nosotros, momentáneamente estén "afligidos por diversas pruebas" (1 Pedro 1:6). En medio de las pruebas, Dios nos recuerda nuestra esperanza viva para el futuro, y basa esta esperanza firmemente en la resurrección de Jesucristo. Nuestra esperanza está viva porque Cristo está vivo. Jesucristo ha resucitado de entre los muertos, y mientras viva, nuestra esperanza nunca puede morir.

> "Bendito sea el Dios y Padre de nuestro Señor Jesucristo, quien según su grande misericordia nos ha hecho nacer de nuevo para una esperanza viva por medio de la resurrección de Jesucristo de entre los muertos; para una herencia incorruptible, incontaminable e inmarchitable reservada en los cielos para ustedes, que son guardados por el poder de Dios mediante la fe para la salvación preparada para ser revelada en el tiempo final" (1 Pedro 1:3-5, RVC).

La Escritura tiene mucho que decir sobre esta esperanza.

- Nuestra esperanza es *una esperanza con mucha confianza.* 2 Corintios 3:12 dice: "Así que, teniendo tal esperanza, actuamos con mucha confianza".
- Nuestra esperanza es una *esperanza que no avergüenza.* Romanos 5 dice que podemos regocijarnos en nuestros sufrimientos, porque las dificultades están produciendo en última instancia una esperanza que "no acarrea vergüenza" (v. 5).
- Nuestra esperanza es una *esperanza bienaventurada.* Tito 2:13 dice que estamos "aguardando la esperanza bienaventurada, la manifestación de la gloria del gran Dios y Salvador nuestro Jesucristo". Este es nuestro gozo: ¡Sabemos sin lugar a dudas que el que se entregó por nosotros regresará por nosotros!
- Nuestra esperanza es una *esperanza salvadora.* Romanos 8:23–24 dice: "Y no solo la creación sino también nosotros, que tenemos las primicias del Espíritu, gemimos dentro de nosotros mismos aguardando la adopción como hijos, la redención de nuestro cuerpo. Porque fuimos salvos con esperanza".
- Nuestra esperanza es una *esperanza purificadora.* La esperanza de que algún día nos conformemos a la imagen de Cristo nos hace más como él ahora. "Amados, ahora somos hijos de Dios, y aún no se ha manifestado lo que seremos. Pero sabemos que, cuando él sea manifestado, seremos semejantes a él porque lo veremos tal como él es. Y todo aquel que tiene esta esperanza en él se purifica a sí mismo, como él también es puro" (1 Juan 3:2–3).
- Nuestra esperanza es una *esperanza celestial.* Dios nos asegura que esta esperanza está fuera del alcance de toda amenaza. No se puede perder; es "la esperanza reservada para ustedes en los cielos" (Colosenses 1:5).

Recuerda que una vez estuvimos sin esperanza. Fuimos separados de Cristo y, por lo tanto, contados entre aquellos que estaban "sin esperanza y sin Dios en el mundo" (Efesios 2:12). ¿Qué ha cambiado? ¡No encontraste a la esperanza; la esperanza te encontró a ti! "Pero ahora en Cristo..." (Efesios 2:13). ¡Ahora en Cristo, somos el pueblo de la esperanza!

Cristo vertió su sangre para nuestra justificación, dándonos plena confianza de que seremos salvos por él de la ira de Dios. Cristo resucitó de entre los muertos, asegurando que nosotros también resucitaremos juntamente con él. Cristo ascendió al Padre, donde reina soberanamente en cada página de la historia para asegurar que todas las cosas están sujetas bajo su dominio. Cristo envió el Espíritu Santo como una garantía de nuestra herencia futura.

La esperanza viva

El verdadero cristianismo es una vida de esperanza viva, confianza firme y gozo absoluto con respecto al futuro. La marca de todo cristiano es estar "gozosos en la esperanza" (Ro 12:12). Sin embargo, las razones de nuestro regocijo no son la ausencia de pruebas, sino la presencia de la esperanza en Cristo y en su obra terminada. "La expectativa de los justos es alegría" (Prov 10:28).

Esta es una de las cosas hermosas del cristianismo. La Biblia es totalmente realista sobre el quebrantamiento y el dolor de este mundo y, al mismo tiempo, está llena de esperanza con respecto al futuro debido a Cristo. Dios le dice hoy a su pueblo lo que dijo a Israel por medio del profeta Jeremías: "Hay esperanza para tu porvenir" (Jeremías 31:17). Y esta esperanza es lo que nos sostiene a través del dolor y las diversas pruebas.

Una razón por la que la música de Andrew Peterson me ministra tanto es su planteamiento del tema de la esperanza. Él tiene un álbum llamado *The Burning Edge of Dawn* [Al borde del ardiente amanecer] que ha sido la banda musical de mi vida estos días. En una canción llamada "The Dark Before the Dawn [la obscuridad antes del amanecer]", Peterson describe la naturaleza expectante de la esperanza. Un día el sol saldrá, y las sombras se dispersarán y los dragones huirán.

¿Pero, y ahora? Nuestra experiencia actual, Peterson canta, a menudo es dolor, lágrimas y oscuridad. Y por eso esperamos. Porque cuando todo lo que vemos es oscuridad, sabemos que el amanecer está por llegar.

No todas las canciones que canta el cristiano terminan con entusiasmo y gritos de alegría. A veces todo lo que podemos cantar es que nuestra esperanza no ha muerto. Todavía estamos de pie. Y nuestra posición firme es un testimonio del poder de la esperanza.

No es tanto que nos aferremos a la esperanza, sino que el Dios de la esperanza se está aferrando a nosotros. Tal vez no recuerde, aplique y viva en el bien de mi esperanza como debería, pero el Dios de la esperanza no dejará de recordarme. Alabado sea su nombre, siempre me sostendrá.

Acepta el lamento

Mirar al futuro con confianza llena de esperanza en Cristo no quita el dolor y el lamento de nuestra vida. Un futuro de penurias es una carga pesada, y la esperanza no convierte a cada pensamiento sobre el futuro en un pensamiento feliz, ni transforma cada emoción sobre el futuro en un sentimiento feliz. La vida en un mundo caído está llena de lamentos.

Y sin embargo, el lamento no se opone a la esperanza; es una expresión de esperanza. Todd Billings explica: "Por extraño que parezca, el hecho de que el salmista pueda traer ira, frustración y protesta ante Dios está basado en la esperanza: si no esperas que Dios sea bueno y soberano, no te molestes en llevar tu lamento y acción de gracias al Señor".[7] Kelly Kapic dice que la esperanza sin lamentos es un optimismo ingenuo y lamentarse sin esperanza es desesperación implacable. Es la esperanza y el lamento juntos los que marcan la vida y el sufrimiento fieles.[8]

Jesús nos invita a seguir sus pasos de lamento. Él es el Varón de dolores, que llora por la noticia de la muerte de Lázaro, que llora por Jerusalén, que llora en el huerto, que clama desde la cruz.

El libro de Lamentaciones está lleno de dolor, oscuridad y sentimientos de desesperanza. "Ha sido privada mi alma de la paz; me he olvidado de la felicidad. Pensé: "Ha perecido mi fortaleza y mi esperanza en el SEÑOR" (Lamentaciones 3:17–18). A veces, la tristeza nos rodea y nuestras aflicciones son todo lo que podemos ver.

La falta de esperanza es una invitación a poner nuestra esperanza en Aquel que nunca nos fallará ni nos decepcionará. Es en medio del lamento que surge la esperanza. Lamentaciones 3:21–24 dice:

> Esto haré volver a mi corazón, por lo cual tendré esperanza.
> Por la bondad del SEÑOR es que no somos consumidos,
> porque nunca decaen sus misericordias.
> Nuevas son cada mañana; grande es tu fidelidad.
> "El SEÑOR es mi porción", ha dicho mi alma;
> "por eso, en él esperaré".

Crecer en la esperanza

¿Y qué pasa si encontramos que nuestra esperanza sigue siendo débil? ¿Cómo podemos crecer en la esperanza? Aquí hay algunas sugerencias:

Alimenta tu esperanza en la Palabra escrita. Romanos 15:4 dice: "Pues lo que fue escrito anteriormente fue escrito para nuestra enseñanza a fin de que, por la perseverancia y la exhortación de las Escrituras, tengamos esperanza". Aquellos que abundan en la esperanza son aquellos que constantemente permanecen en la Palabra.

Mira a menudo al Calvario. La esperanza se fortalece al ver el amor de Dios mostrado en la cruz de Cristo. La fuerte esperanza proviene de las convicciones fervientes con respecto al buen carácter de Dios, y esa bondad se demuestra de una vez por todas en la entrega de su Hijo amado. "El que no eximió ni a su propio Hijo sino que lo entregó por todos nosotros, ¿cómo no nos dará gratuitamente también con él todas las cosas?" (Romanos 8:32, RVC).

Comparte tus luchas por la esperanza con un amigo de confianza. Compartir nuestros desafíos con los demás nunca es fácil, pero vale la pena porque sabemos que Dios "da gracia a los humildes" (Santiago 4:6).

Rodéate de personas llenas de esperanza. La iglesia es un solo cuerpo, y el pueblo de Cristo comparte una esperanza (Efesios 4:4). No podemos crecer en esperanza si permanecemos aislados.

Estudia el objeto de tu esperanza. John Owen dice que la razón por la que los cristianos no se benefician más de la gracia que procede de la esperanza "es porque no permanecen en los pensamientos y la contemplación de las cosas que esperan".[9] Considera leer libros que te hagan pensar en las buenas noticias de tu futuro en Cristo. Lee *Veremos a Dios: Los devocionales clásicos de Charles Spurgeon de sus meditaciones sobre el cielo*, de Randy Alcorn. O lee el libro de Alcorn *El cielo*, o su libro más corto *A la luz de la eternidad*. Lee *El descanso eterno de los santos*, de Richard Baxter, y *Cristo y el futuro* por Cornelis Venema.

Considera las promesas de Dios. ¿Estás familiarizado con las "preciosas y grandísimas promesas" de Dios (2 Pedro 1:4)? ¿Has considerado cómo se utilizarán las promesas de Dios en la vida cristiana? Dedicamos el siguiente capítulo a este excelente tema.

Preguntas para la reflexión

1. ¿Cómo la esperanza para el futuro nos cambia en el presente?
2. ¿Cuál es la relación entre el lamento y la esperanza?

5

Cómo usar las promesas

Dios cumple sus promesas y sus palabras no dejarán de cumplirse

Quiero ser como los santos poderosos de Hebreos 11, aquellos hombres y mujeres que fueron victoriosos al aprender a vivir por fe en las promesas de Dios. Quiero vivir cada día como uno buscando un país mejor, una patria prometida. Quiero vivir con mi corazón menos controlado por el temor y más cautivado por las recompensas futuras. Quiero enfrentarme al mañana y todos los días de mi vida con confianza en el carácter fiel de Dios, sin temor a las bocas de los leones, ni al poder del fuego, al filo de la espada, la tortura, el encarcelamiento, los enemigos y la aflicción. (Véase Hebreos 11:32–38.) Quiero ser fuerte en la debilidad y poderoso en la guerra. Quiero ser contado entre aquellos de los cuales el mundo no es digno.

En otras palabras, quiero ser como Joni Eareckson Tada.

Decidida por causa de las promesas

Joni es mi héroe porque ha enfrentado una vida extraordinariamente difícil con gran gozo en Cristo. Las promesas de Dios son su espada y su escudo, y ella ha aprendido a aferrarse a las promesas todos los días.

Durante su desarrollo de vida, Joni era muy activa. Le encantaba montar a caballo, hacer senderismo, jugar al tenis y nadar. Pero ella tuvo un accidente al sumergirse en la piscina cuando era adolescente y se convirtió en cuadripléjica, paralizada de los hombros hacia abajo. Eso fue el 30 de julio de 1967, hace poco más de cincuenta años.

La ira, el miedo y la depresión la asaltaron. A través de todo y hasta el día de hoy, Cristo la ha sostenido. Dios le ha enseñado a luchar por la fe mediante el uso de sus promesas. Al confiar en las promesas, ella se ha enfrentado a un futuro difícil con gozo desafiante y coraje asombroso.

Joni dice que a menudo puede oír el dolor atacándola y burlándose de ella: "Sí, sí, dices que Dios es bueno, pero mírate, estás paralizada con cuadriplejía; estás en una silla de ruedas, difícilmente puedes hacer nada por ti misma, y además de todo eso, sientes esa sensación de cuchillo en tu cadera y la parte inferior de la espalda. Ese soy yo, tu viejo amigo dolor, recordándote que nada tienes de qué alegrarte. ¡Nada! Si te paras y te miras a ti misma, tienes que admitirlo, Joni, eres una miserable, lamentable de mirar. Así que, maldice a Dios y muere".

Ella dice: "Esa voz es lo que el dolor trata de decirme. ¿Pero sabes qué? He aprendido a no escuchar. Es más, he aprendido a defenderme con gozo. Tomo el gozo, el don que el Espíritu Santo me dio, y lo pongo frente a mi dolor y digo: 'Mira, puede que me esté acabando por fuera, pero por dentro estoy siendo renovada. Estoy siendo renovada por la promesa de mi salvación; por la promesa de la gracia de Dios; por la promesa de mi respuesta piadosa a ti, el dolor, me hará ganar una rica recompensa en el cielo. Tengo el gozo del Señor y él es mi fortaleza. Tengo un gozo que es real y sólido, inquebrantable e inamovible, todo por causa de Jesús y sus promesas. Así que toma eso, dolor.'"[1]

Esta visión de gozo y llena de fe sobre el futuro no está más allá de ti, porque el Dios de Joni es tu Dios, y las promesas a las que te aferras son promesas de Dios también para ti.

Las promesas de Dios nos hacen desafiantes; resistimos la tentación, luchamos contra la depresión y destruimos la condenación, todo por el poder de las promesas.

¿Has aprendido a aceptar las promesas que Dios ha hecho y a aplicarlas en tu vida?

Charles Spurgeon dice: "Las promesas de Dios son para el creyente una mina inagotable de riqueza. Feliz es aquel si sabe cómo buscar sus venas secretas y enriquecerse con sus tesoros ocultos. Son para él una armería que contiene todo tipo de armas ofensivas y defensivas".[2]

¿Qué debemos hacer cuando nos sentimos tentados a dudar del buen carácter de Dios y a desconfiar de los buenos propósitos de Dios para nuestro futuro? Ve a la armería y recoge las promesas de Dios.

Estas promesas en las Escrituras no gotean lentamente y escasamente sobre nosotros. Vienen a nosotros como agua de una manguera, mojándonos con bendición, alivio y esperanza. Se supone que la fe en las promesas puede llenar nuestras almas de seguridad y gozo.

Algunas promesas pertenecen a todas las personas, y otras se aplican sólo a los cristianos. Algunas promesas son temporales y, por lo tanto, se cumplen en este tiempo presente, y algunas son eternas y se cumplen sólo en el tiempo venidero. Algunas promesas están condicionadas a nuestra obediencia y otras son incondicionales. Pero todas las promesas son de gran valor para afrontar el futuro.

"Me has quitado una gran preocupación"

Hay una tira cómica de *Peanuts* (Carlitos o Charlie Brown) que capta perfectamente el valor funcional de las promesas de Dios. Lucy y Linus están teniendo una conversación. Lucy se sienta mientras mira por la ventana, y está lloviendo. Ella le dice a Linus, "Chico, mira cómo llueve… ¿y si inunda el mundo entero?"

Linus muy tranquilamente responde: "Nunca va ocurrir eso otra vez. En el noveno capítulo del Génesis, Dios prometió a Noé que nunca volvería a llover así, y la señal de la promesa es el arco iris".

Lucy, muy aliviada por esto, dice: "Me has quitado una gran preocupación".

Linus responde: "¡La teología sana tiene una forma de hacerlo!"[3]

Toda promesa que Dios ha hecho debe quitarnos de encima una gran preocupación. La teología sana, incluyendo todo lo que Dios ha prometido, tiene como propósito hacer una diferencia en nuestra vida. Muchos de los problemas que enfrentamos se deben a nuestro fracaso de vivir como si las promesas de Dios fueran verdaderas. Si no tenemos en cuenta las promesas de Dios, inevitablemente perderemos nuestro sentido de valor.

Juan Calvino entendió que la vida cristiana se vive por la fe en las promesas de Dios. Él dice: "Debemos estar armados con las promesas de Dios, para que podamos seguir con corazones valientes donde sea que él nos llame".[4]

En su comentario sobre el libro de Josué, Calvino extrae lo que ha sido para mí un principio que cambió la vida de Josué 10:8. En Josué capítulo 10, muchos reyes habían reunido a sus grandes ejércitos contra un lugar llamado Gabaón. Los hombres de Gabaón llamaron a Josué, y Josué vino a ayudar. Fue entonces cuando el Señor se acercó a Josué y le dijo que él lucharía por ellos y aseguraría la victoria de su pueblo: "Y el Señor le dijo a Josué: "No tengas temor de ellos, porque yo los he entregado en tu mano. Ninguno de ellos podrá resistir delante de ti" (Josué 10:8, RVC). El siguiente versículo dice que Josué tomó acción y cayó sobre sus enemigos de repente.

Aquí está la visión simple pero extraordinaria de Calvino sobre este versículo. Él dice: "Dios nos estimula más poderosamente a cumplir con el deber por la promesa que por la orden".[5]

Esa es una declaración notable. Los mandamientos nos dicen nuestro deber. Ordenar o mandar es una parte esencial de guiar a los cristianos en el desempeño de sus deberes. Las promesas, por otra parte, no revelan lo que debemos hacer, y no lo que Dios intentará hacer, sino lo que Dios ha prometido hacer por nosotros. Él nos ha dicho lo que ciertamente hará antes de hacerlo, a fin de fortalecer nuestra fe y llamarnos a la acción.

¿Cómo nos motiva Dios con más fuerza a la obediencia? No mandándonos, y ciertamente no amenazándonos, sino mediante la promesa. Muchos cristianos tratan de vivir solo debido a los mandamientos y las amenazas, privándose así del mayor consuelo, valor y la conformidad con la imagen de Cristo. En las promesas encontramos el poder para hacer todo lo que Dios nos llama a hacer.

Ninguna palabra ha fracasado

Todo el libro de Josué es un estudio valioso sobre las promesas de Dios. Josué fue escrito para persuadirnos del poder de nuestro Dios fiel que cumple sus promesas. La lección principal del libro de Josué no es el valor humano ni la moralidad, sino la fidelidad divina. El Señor es un guerrero que lucha por nosotros y no dejará de cumplir sus promesas. El Rey de gloria es poderoso en batalla. Ese es el punto del libro de Josué.

Después de la muerte de Moisés, Josué se enfrentó a la abrumadora tarea de guiar al pueblo de Dios a la Tierra Prometida. El camino era difícil, el pueblo era pecaminoso, y la tierra estaba ocupada por enemigos poderosos. El Señor le recordó a Josué sus promesas. La promesa de entregar la tierra se dio primero a Abraham, Isaac y Jacob, luego a Moisés y ahora a Josué.

Dios también prometió que estaría con Josué, y no hay mayor promesa que la promesa de su presencia. "Como estuve con Moisés, estaré contigo; no te dejaré ni te desampararé" (1:5). En Hebreos 13:5–6, la promesa de Josué 1:5 se aplica directamente a los nuevos cristianos del pacto. ¡Dios está con nosotros hoy! Su presencia es la fuente de la fuerza y el valor que él manda. El miedo y el abatimiento son expulsados por la promesa de que Dios está con nosotros (Josué 1:9).

En el capítulo 2, los espías son enviados para examinar la tierra de la promesa. Esa experiencia confirma la palabra de Dios a su pueblo, y ellos dicen a Josué: "¡El Señor ha entregado toda la tierra en nuestras manos!" (2:24, RVC). Dios toma medidas para reforzar nuestra fe en el futuro que nos ha prometido.

Cuando Israel cruza el Jordán, crean un monumento conmemorativo para recordar a las generaciones futuras que Dios es fiel a sus promesas (capítulo 4). La generación que vagaba por el desierto era desobediente (5:6), sin embargo, su pecado es un recordatorio para nosotros de que ni siquiera nuestra incredulidad puede disuadir el cumplimiento de las promesas de Dios para nosotros.

Antes de la caída de Jericó, Dios dijo: "Yo he entregado en tu mano a Jericó" (6:2, RVC). Los muros aún estaban en pie. El pueblo de Dios era débil. La victoria parecía imposible. Sin embargo, tan segura es la victoria de Dios que él nos asegura antes de experimentarla.

Dios declara a su pueblo: "¡Nada puede impedir mis promesas! Ni la muerte, ni los enemigos, ni siquiera tu pecado. Ni ríos ni muros, ni grandes ejércitos, ni ninguna otra cosa. ¡La palabra de mi poder lo conquista todo!"

Hebreos 11:30 celebra la fe que Josué y su ejército tenían en la promesa. Dios dijo que Jericó caería, y ellos creyeron que su palabra no fallaría. Cada muro que cayó manifestó la fidelidad de nuestro Dios que cumple sus promesas.

En Josué 15, lo que al principio nos parece una descripción aburrida de la tierra es en realidad una descripción del regalo que Dios había prometido como herencia. Esta tierra señala en última instancia a la herencia celestial que se dará a todas las naciones de Cristo.

El libro de Josué nos deja alabando a Dios por su fidelidad a sus promesas.

> "Así dio el SEÑOR a Israel toda la tierra que había jurado dar a sus padres. Ellos tomaron posesión de ella y habitaron en ella. Y el SEÑOR les dio reposo alrededor, conforme a todo lo que había jurado a sus padres. Ninguno de sus enemigos pudo resistirlos, porque el SEÑOR entregó en su mano a todos sus enemigos. No falló ninguna palabra de todas las buenas promesas que el SEÑOR había hecho a la casa de Israel; todo se cumplió" (Josué 21:43-45).

Este mismo Dios nos ha prometido la tierra, el reposo, la victoria y el cumplimiento de cada palabra que ha hablado en Cristo. Dios es el que cumple sus promesas, cuyas promesas revelan su corazón y nos guían a casa.

Las promesas de Dios nunca fallarán porque están basadas en el carácter inquebrantable de Dios. "Dios no es hombre para que mienta, ni hijo de hombre para que se arrepienta. Él dijo, ¿y no lo hará? Habló, ¿y no lo cumplirá?" (Números 23:19, RVC).

Y llega el momento en que evocamos cada día de nuestra vida, y cada prueba que hemos conocido en el camino fatigoso de la vida, y declaramos la fidelidad de Dios para cumplir cada una de sus promesas. Josué en la vejez lo declaró: "He aquí que yo estoy para ir por el camino de todo el mundo. Reconozcan, pues, con todo su corazón y con toda su alma que no ha fallado ni una sola palabra de todas las buenas promesas que el SEÑOR su Dios les había hecho. Todas se han cumplido para ustedes; no ha fallado de ellas ni una sola palabra" (Josué 23:14, RVC).

Tú también lo declararás. Las promesas nunca fallarán.

Preciosas y grandísimas promesas

En 2 Pedro 1:4, Dios nos dice que sus promesas son "preciosas y grandísimas". Las promesas de Dios son *preciosas* porque han sido aseguradas por la preciosa sangre de Cristo. Como dice 2 Corintios 1:20, todas las promesas de Dios son "sí" en Cristo.

Estas no son sólo promesas preciosas, son promesas grandísimas. La grandeza de las promesas de Dios se revela no sólo en cómo glorifican el carácter de Dios, sino también en lo que él logra a través de ellas en nuestra vida. Según 2 Pedro 1:3–4, las promesas de Dios están entre las cosas que "pertenecen a la vida y a la piedad". "Mediante ellas nos han sido dadas preciosas y grandísimas promesas, para que por ellas ustedes sean hechos participantes de la naturaleza divina después de haber huido de la corrupción que hay en el mundo debido a las bajas pasiones".

¿Qué efecto tienen las promesas en nuestra vida?

Las promesas profundizan nuestra sensación de seguridad en el amor del Padre. Cuando nos sentimos olvidados y abandonados, las promesas de Dios en Cristo revelan su corazón por nosotros. Dios dio a su Hijo unigénito por nosotros y nunca nos olvidará". "¿Acaso se olvidará la mujer de su bebé, y dejará de compadecerse del hijo de su vientre? Aunque ellas se olviden, yo no me olvidaré de ti. He aquí que en las palmas de mis manos te tengo grabada" (Is 49:15–16).

Es a los temerosos, a los débiles, a los enlutados y a los oprimidos que Dios promete su amor: "El Señor tu Dios está en medio de ti: ¡Es poderoso; él salvará! Con alegría se regocijará por causa de ti. Te renovará en su amor; por causa de ti se regocijará con cánticos" (Sofonías 3:17, RVC).

El puritano William Gurnall dice: "La promesa es la carta de amor de Dios a su novia en la que abre su corazón y dice todo lo que hará por ella".[6]

Las promesas nos ayudan a aceptar nuestra identidad como peregrinos en este mundo. Hebreos 11:13 dice: "Conforme a su fe murieron todos estos sin haber recibido el cumplimiento de las promesas. Más bien, las miraron de lejos y las saludaron, y confesaron que eran extranjeros y peregrinos en la tierra". Hablamos de una manera que revela que este mundo no es nuestro hogar. Vivimos como aquellos que anhelan un país mejor y que ciertamente llegarán allí.

Las promesas alivian nuestras ansiedades acerca del futuro. El puritano Samuel Clark escribió:

> Una atención firme y constante a las promesas, y una creencia inconmovible de ellas, evitaría la atención y la ansiedad sobre las preocupaciones de esta vida. Mantendría la mente tranquila y preparada en cada cambio, y apoyaría y mantendría nuestro espíritu abatido bajo los diversos problemas de la vida… . Los cristianos se privan de sus bienestares más sólidos por su incredulidad y olvido de las promesas de Dios. Porque no hay límite tan grande, pero hay promesas preparadas para ella, y suficiente abundancia para nuestro alivio en ella.[7]

Las promesas nos sostienen y nos consuelan en el sufrimiento. El salmista lo sabía bien. "Que tu bondad me consuele conforme a lo que has prometido a tu siervo" (Sal 119:76). "Susténtame conforme a tu palabra" (Sal 119:116). "Mis ojos se adelantaron a las vigilias de la noche para meditar en tus palabras" (Sal 119:148).

John Flavel escribe: "En la Palabra escrita, hay todo tipo de promesas renovadoras, fortalecedoras y que avivan el corazón. Por su cuidado y sabiduría, Dios preparó estas para nuestro alivio en días de oscuridad y dificultades".[8]

Tenemos la promesa de que Cristo es nuestro gran Sumo Sacerdote, que se apiada y ora por nosotros en medio de todas nuestras penas.

Las promesas nos ayudan a eliminar el pecado y a caminar en santidad. Dios promete que el mismo poder que resucitó a Cristo de entre los muertos opera en nosotros, y que su Espíritu purificador está obrando en nosotros. Según 2 Corintios 6:16–18, las promesas de que Dios será nuestro Dios, y nosotros seremos su pueblo —que nos acogerá y será un Padre para nosotros— nos motivan a limpiarnos del pecado y de las impurezas. 2 Corintios 7:1 dice: "Así que, amados, ya que tenemos tales promesas, limpiémonos de toda impureza de cuerpo y de espíritu, perfeccionando la santidad en el temor de Dios".

Las promesas nos dan valor en la oración. Cuando el Señor le prometió a David que su casa sería bendecida y que establecería el trono Davídico para siempre, David oró para que Dios confirmara la palabra que le había hablado. David dijo:

> "Porque tú, oh Señor de los Ejércitos, Dios de Israel, lo has revelado al oído de tu siervo, diciendo: 'Yo te edificaré casa a ti'. Por esto, tu siervo ha hallado valor en su corazón para dirigirte esta oración. Ahora pues, oh Señor Dios, tú eres Dios, y tus palabras son verdad, y has prometido este bien a tu siervo. Y ahora, ten a bien bendecir la casa de tu siervo, a fin de que permanezca para siempre delante de

ti. Porque tú lo has prometido, oh SEÑOR Dios, y con tu bendición la casa de tu siervo será bendita para siempre" (2 Samuel 7:27-29, RVC).

La oración es pedir a Dios que nos bendiga en base a la promesa de Dios de hacerlo. En vista de las promesas de Dios, encontramos valor y poder en la oración.

"Tus promesas han superado muchas pruebas"

En Salmos 119:140 NVI, el salmista celebra al Dios que siempre ha cumplido sus promesas: "Tus promesas han superado muchas pruebas, por eso tu siervo las ama".

Considera cómo se cumplen las promesas en las Escrituras. En Génesis 3:15, Dios prometió enviar un Salvador para aplastar la cabeza de la serpiente, y lo hizo. En Génesis 12:3, Dios prometió bendecir a las naciones por medio de Abraham, y lo hizo. ¡Él es Dios de pactos, el que cumple sus promesas! Prometió escribir su ley en nuestros corazones, y lo hizo (Jeremías 31:33). Prometió poner su Espíritu en nosotros, y lo hizo. Dios prometió enviar a un rey como David, un siervo que sufriente, Emanuel. ¡Y lo hizo! Su promesa ha superado muchas pruebas, y lo alabamos por ello.

Considera también cómo las promesas de Dios han superado muchas pruebas en tu vida. Mira tu vida y considera la fidelidad de Dios para sostenerte, proveer para ti y ayudarte en tiempo de necesidad. Entonces sigue adelante, buscando oportunidades para aferrarte a las promesas de Dios. La manera de fortalecer nuestra fe es recordar cómo las promesas de Dios se aplican a los detalles de nuestra situación. No encontrarás una condición o te enfrentarás a una prueba para el cual no haya una promesa relevante y correspondiente para consolarte y fortalecerte.

- ¿Estás llamado a hacer grandes sacrificios en el camino de seguir a Cristo? Recuerda su promesa en Marcos 10:29–30, de que cualquiera que haya hecho sacrificios por causa de Cristo y por el Evangelio recibirá cien veces más ahora en este tiempo y en la edad venidera.
- ¿Te condena Satanás y llama la atención sobre tus muchos pecados? "Si confesamos nuestros pecados, él es fiel y justo para perdonar nuestros pecados y limpiarnos de toda maldad" (1 Juan 1:9).
- ¿Te preocupa que tus pecados y errores pasados te hayan puesto en desventaja para avanzar? Recibe la promesa de Dios de restaurar los años que se han perdido (Joel 2:25).
- ¿Te rodea una sensación de soledad e ineptitud? Cuando una buena amiga mía perdió a su esposo, ella a menudo recordaba la promesa de Isaías 41:10, RVC: "No temas, porque yo estoy contigo. No tengas miedo, porque yo soy tu Dios. Te fortaleceré, y también te ayudaré. También te sustentaré con la diestra de mi justicia".
- ¿Estás cansado de tu trabajo, llevando responsabilidades que son una gran carga? Recuerda la promesa de Jesús en Mateo 11:28, RVC: "Vengan a mí, todos los que están fatigados y cargados, y yo los haré descansar".
- ¿Estás preocupado de que tus esfuerzos por el ministerio sean en vano? Confía en la promesa de Isaías 55:10–11, de que la Palabra de Dios será prosperada en todo aquello que Dios quiere, y tendrá éxito en producir una gran cosecha.
- ¿Ves la injusticia en el mundo y estás tentado a vengarte? Aférrate a la promesa de Romanos 12:19: "Mía es la venganza; yo pagaré, dice el Señor".
- ¿Estás lamentando el triunfo aparente del mal? Romanos 16:20 promete: "Y el Dios de paz aplastará en breve a Satanás debajo de los pies de ustedes".

Un día estaremos en la presencia de Dios y, al recordar nuestra vida, declararemos con gozo: "Tus promesas has superado muchas pruebas, por eso tu siervo las ama".

Mientras tanto, tomemos en serio las muchas promesas que Dios nos ha hecho. Miremos más a las promesas de Dios que a los problemas de la vida. Fijemos nuestra mente en las preciosas y grandísimas promesas, y atrevámonos a vivir como que toda promesa se cumplirá.

El que cumple sus promesas ha hablado. ¡Y para gloria de su gran fidelidad, ni una palabra fallará!

Preguntas para la reflexión

1. ¿Qué diferencia intenta Dios que hagan sus promesas en nuestra vida?
2. ¿Cuál es una promesa bíblica que es especialmente significativa para ti, o que puedes aplicar a una situación actual en tu vida?

6

Amor fiel

Nuestro Salvador fuerte y fiel
nos guardará hasta el final

Uno de los monumentos más famosos de Brasil domina el horizonte de Río de Janeiro. Es una estatua en forma de cruz en el monte Corcovado llamada el *Cristo Redentor*, construida entre 1922 y 1931. El Cristo se mantiene alto con los brazos extendidos a ambos lados, y se puede ven las cicatrices de los clavos en sus manos.

En 1999, un hombre llamado Felix Baumgartner trepó por la gran estatua. Mirando por encima del borde de la cima de granito, examinó el terreno distante en el fondo de la montaña, casi dos mil quinientos pies por debajo. Luego caminó hasta el borde del brazo extendido del Cristo y saltó.

Se tiró desde la mano del Cristo.

Baumgartner es un paracaidista, aventurero y practicante del salto BASE. Se le conoce por las acrobacias locas y peligrosas que realiza. Para esta hazaña en particular, él tuvo que meter de contrabando su paracaídas a bordo de un pequeño tren que lleva a grupos de turistas hasta la cima de la montaña de 2 mil pies para visitar la estatua. Un sistema de poleas le ayudó a subirse por la estatua, desde la cual saltó de la mano de Jesús.

La mano fuerte de Cristo

La historia de Felix Baumgartner me recuerda lo que Jesús dice en Juan 10:28–29, RVC: "Yo les doy vida eterna, y no perecerán jamás, y nadie las arrebatará de mi mano. Mi Padre, que me las ha dado, es mayor que todos y nadie las puede arrebatar de las manos del Padre".

Para muchos de nosotros, los principales temores que tenemos implican nuestra perseverancia en la fe. Algunas de nuestras inseguridades más profundas incluyen el futuro de nuestra relación con Dios. Tal vez sientas la inclinación a alejarte de Dios. Tal vez hayas visto a tus amigos que una vez siguieron a Cristo ahora lo han abandonado. En nuestro interior sabemos que, si depende de nosotros mismos, todos saltaríamos de la mano amorosa de Cristo.

Una promesa particular de Dios es tan gloriosa que exige que se le dedique todo un capítulo. Jesús ha prometido que nunca abandonará a su pueblo, y que ningún poder en todo el mundo puede separarnos de su mano amorosa.

Muchas fuerzas poderosas intentan arrebatarnos de su mano: oscuridad y duda, enfermedad y sufrimiento, tentaciones al pecado, Satanás y todas las fuerzas del infierno. Cada una de estas fuerzas, a su manera, busca abrir los dedos de nuestro Señor y arrebatarnos de su mano.

La Biblia es clara acerca de las presiones y las dificultades que enfrentarás en el futuro. Pablo menciona a muchas de ellas en Romanos 8, un capítulo extraordinario que exalta el amor inquebrantable de Dios en Cristo. El final del capítulo describe algunas de las mayores amenazas a la seguridad y el amor que disfrutamos en la mano de Cristo: tribulación, angustia, persecución, hambre, desnudez, peligros y muerte.

- *Tribulación,* la cual incluye diversas pruebas. ¿Qué pasa si enfrento grandes dificultades y no me acerco a Dios, sino que me amargo y lo rechazo?
- *Angustia,* la cual puede ser emocional, psicológica o física. Incluye dolor y soledad.
- *Persecución,* lo cual es ser maltratado por otros por lealtad a Cristo. ¿Qué pasa si nuestra cultura sigue declinando y los cristianos son ridiculizados, y yo no tengo la fuerza para ser un defensor de Cristo?
- *Hambre* y *desnudez* tienen en cuenta el tema de la provisión: ¿Tendré comida y ropa? ¿Tendré dinero suficiente para cuidarme a mí y a mi familia?
- Y luego está la *muerte*, el último gran enemigo, que a todos nos toca.

La Biblia no enseña que si Dios te ama, la vida será fácil. El poder del amor de Dios no elimina todas las presiones de la vida; nos prepara para hacer frente a esas presiones y nos sostiene en medio de ellas. No fijamos nuestros ojos en las dificultades venideras, sino en el amor y en el poder de la mano de Cristo.

Jesús te dice hoy: "Te tengo en mi mano. Entregué mi vida por ti. Mostré mi amor por ti cuando eras aún un pecador, morí por ti. Y mi amor por ti no se limita a un punto en el tiempo; continúa a lo largo de todo el curso de tu vida y hasta la eternidad. Te daré vida eterna, nunca perecerás, y nadie te arrebatará de mi mano".

Los cristianos deben tomar versículos que hablen del amor inquebrantable de Dios y personalizarlos. Cristo me dice: "Le doy a Jared vida eterna, y Jared nunca perecerá, y nadie podrá arrebatar a Jared de mi mano". Dios declara: "¿Quién separará a Jared del amor de Cristo?" y responde victoriosamente: "¡Nada en toda la creación!"

Marcus Peter Johnson escribe: "Una vez unidos a Cristo, los creyentes nunca serán separados de él. Esto no se debe a que nuestra comprensión de Cristo sea tan fuerte, sino porque su mano fuerte sobre nosotros es inquebrantable".[1]

Hay reposo en la obediencia del Hijo

La seguridad eterna del cristiano depende enteramente de la obediencia del Hijo de Dios. En Juan 6, Jesús dice que la razón por la que vino al mundo es para hacer la voluntad del Padre (v. 38). ¿Cuál es la voluntad del Padre? "Y esta es la voluntad del que me envió: que yo no pierda nada de todo lo que me ha dado, sino que lo resucite en el día final" (v. 39). La voluntad del Padre es que Cristo no pierda nada ni una sola alma de todo lo que el Padre le ha dado.

El Padre le dice al Hijo: "Estos son los que he elegido. Te los doy a ti. Mi mandamiento es que no pierdas ninguno de ellos".

Lo que sigue es uno de los actos más bellos de obediencia de Cristo y que sigue haciendo desde su trono celestial de amor: la obediencia de no perder a ninguno.

Piensa en ello de esta manera: ¿Qué requeriría para alguien que ha sido genuinamente regenerado que se pierda? Requeriría que se quebrantara el pacto hecho por la Trinidad previo a la creación. Requeriría que el Hijo de Dios, quien no cometió pecado, desobedezca al Padre. Requeriría que Jesús cometiera pecado y fuera expulsado de su trono celestial. Requeriría que las palabras de Jesús sean falsas. Requeriría que su poder se debilitara, que su amor se omitiera y que su muerte fuera en vano.

¡Imposible!

La cuestión de nuestra perseverancia principal en la fe es una cuestión de la obediencia del Hijo de Dios. La seguridad de nuestra salvación final recae enteramente en la fidelidad de Jesucristo. Sam Storms dice: "Nuestra seguridad depende en última instancia del carácter y el compromiso de Dios, no del nuestro".[2] Si estás en Cristo, tu preservación y resurrección futura es tan segura como la obediencia de Jesús. Para ti no terminar la carrera significaría no simplemente que eres un fracaso, sino que Jesús es un fracaso, y eso nunca puede ser.

¿Puede Jesús fallar en la misión que le ha encomendado el Padre? ¿Inclinará el Hijo de Dios la cabeza en vergüenza eterna?

Imposible.

George Matheson nació en Glasgow, Escocia en 1842. A la edad de dieciocho años, quedó totalmente ciego. A pesar de esta discapacidad, llegó a ser un consumado erudito y maestro bíblico. Se había comprometido a casarse cuando era adolescente, pero cuando su prometida descubrió que se estaba quedando ciego, ella lo dejó. Él quedo devastado.

La hermana de Matheson lo cuidó en su ceguera. Pero años más tarde, ella quedó comprometida para casarse y Matheson recordó su angustia por la relación que había perdido. Con su hermana pronto a casarse, la herida pasada volvió a abrirse. Todavía él estaba triste de que su anhelo de casarse no se había cumplido. Sin embargo, él sabía que el matrimonio no completa a uno ni satisface muy profundamente. Sólo el amor de Cristo puede hacer eso.

Así que la noche antes de la boda de su hermana, en medio de su dolor y angustia, escribió uno de los reconocidos himnos del siglo XIX: "Oh amor que no me deja, mi alma abatida descansa en Ti".

Hay un amor que nunca nos dejará. Las almas abatidas encuentran descanso hoy en saber que el amor firme del Señor perdura para siempre.

El amor de Dios no es como el amor humano, que surge y fluye basado en el desempeño de los demás. A veces, los padres y los miembros de la familia fracasarán en su amor por ti. Los amigos también te decepcionarán y a veces te romperán el corazón. El amor que conocemos en este mundo a menudo nos falla y llega a su fin. Pero el amor de Cristo es totalmente diferente. Su amor es para siempre. Me ha amado con un amor eterno. Me ha hecho suyo para siempre.

Cristo te ama mucho más de lo que tú amas a él. Su amor no vacila. Su amor nunca falla.

Dios mantiene el fuego

La enseñanza de la Biblia acerca de la seguridad eterna, la verdad de que si somos verdaderamente salvos, no podemos perder nuestra salvación, a menudo se malinterpreta. Debemos recordar que es posible que algunas personas se aparten y abandonen la fe incluso cuando han dado señales externas de conversión en el pasado. La enseñanza de la Escritura es que sólo aquellos que perseveran, continúan en su fe, hasta el fin han nacido verdaderamente de nuevo. Hebreos 3:14 dice: "Porque hemos llegado a ser participantes de Cristo, si de veras retenemos el principio de nuestra confianza hasta el fin". Una de las maneras en que sabemos que somos "participantes de Cristo" es si seguimos creyéndolo, amándolo y obedeciéndolo.

La seguridad eterna nunca significa: Me pareció que fui salvo en ese entonces, así que debo ser salvo ahora, aunque no haya evidencia de ello". Más bien, la seguridad eterna significa: "Yo fui salvo antes y por lo tanto Dios está afirmando, por medio de la obra del Espíritu Santo, que yo siga creyendo en Cristo, amando a Cristo, obedeciendo a Cristo y confiando sólo en él para la salvación".

Aquellos que verdaderamente son nacidos del Espíritu nunca ciertamente darán la espalda a Dios. Podrías pecar gravemente, pero la gracia te encontrará. Podrías apartarte de Dios, pero él te traerá de vuelta. Podrías negar al Señor tres veces como Pedro, pero confesarás y te arrepentirás. Puede que caigas y vuelvas a fallar, pero vuelves a levantarte. Podrías sufrir mucho y la oscuridad amenaza con abrumarte, pero ninguna prueba apagará por completo nuestro amor por Cristo.

Greg Forster explica: "Las personas que se convierten verdaderamente a Dios nunca plenamente y finalmente se volverán atrás porque Dios crea en ellos, por el poder milagroso del Espíritu Santo, un amor por Dios que es tan poderoso que persevera a través de todas las pruebas. Si somos verdaderos cristianos, nuestro amor por Dios es inquebrantable porque el amor de Dios por nosotros es inquebrantable, y su poder que obra maravillas siempre está en operación en nosotros".[3]

Cristiano, ¿crees hoy que el poder de Dios está obrando en ti, y que su amor por ti en inquebrantable?

Mi imagen favorita de cómo Dios sostiene nuestra fe en él es la historia junto a la chimenea en el libro de John Bunyan, *El progreso del peregrino*. El personaje principal, Cristiano, está a punto de comenzar su caminar por la vida cristiana, y se detiene junto a la casa del Intérprete. Este buen hombre, el Intérprete, lleva a Cristiano a una habitación donde había una chimenea.

"Las llamas de la chimenea eran cada vez más grandes y más calientes a pesar de que había alguien continuamente arrojando agua sobre las llamas para tratar de apagarlas". Cristiano dijo: "¿Qué significa esto?" El Intérprete respondió:

> "Este fuego es la obra de gracia que Dios realiza en el corazón; el que arroja agua sobre las llamas para tratar de apagarla es el Diablo. Pero como ves, el fuego arde más y

más caliente a pesar de sus esfuerzos para apagarlo. Ahora déjame mostrare la razón de eso".

El Intérprete llevó a Cristiano al otro lado de la pared, donde vio a un hombre con una vasija de aceite en la mano, del cual en secreto vertía aceite al fuego. Cristiano preguntó: "¿Qué significa esto?" El Intérprete respondió:

> "Este es Cristo que continuamente, con el aceite de su gracia, mantiene la obra que ya inició en el corazón. No importa lo que el Diablo trate de hacer, la obra de gracia que Cristo está haciendo en las almas de su pueblo sólo aumenta. Viste que el hombre estaba detrás de la pared para mantener el fuego; eso es para enseñar que es difícil ver, para el que está siendo tentado, cómo esta obra de gracia se mantiene en el alma".[4]

Puede que estás luchando para ver cómo se mantiene la gracia en tu vida, y estás desanimado. Recuerda quién está detrás de esa pared, aunque no lo veamos, y recuerda lo que está haciendo allí. La doctrina de la preservación de los santos, la doctrina del amor inquebrantable de Dios, es que Cristo ha prometido hacer la voluntad del Padre manteniendo la obra que ya comenzó en tu corazón.

La dirección del Padre, la obediencia del Hijo y la obra del Espíritu Santo han asegurado tu salvación eterna. Este es el amor inquebrantable de Dios por ti. J. I. Packer dice: "Tu fe no fallará mientras Dios la sostenga; no eres lo suficientemente fuerte como para desviarte cuando Dios ha resuelto sostenerte".[5]

Ni lo porvenir

Cuando nos encontramos luchando con dudas y temores con respecto al amor inquebrantable de Dios por nosotros, una de las mejores cosas que podemos hacer es sumergirnos en Romanos 8. Lee el capítulo de J. I. Packer sobre Romanos 8 sobre el *Conocimiento del Dios santo*; lee los libros sobre Romanos 8 por Ray Ortlund, Octavius Winslow y Derek Thomas; escucha los sermones de John Piper y lee los sermones que Martyn Lloyd Jones predicó de este gran capítulo.

Romanos 8 termina con una celebración convincente del amor eterno de Dios. "Por lo cual estoy convencido de que ni la muerte ni la vida ni ángeles ni principados ni lo presente ni lo porvenir ni poderes ni lo alto ni lo profundo ni ninguna otra cosa creada nos podrá separar del amor de Dios, que es en Cristo Jesús, Señor nuestro" (vv. 38–39).

Ten en cuenta que "ni lo porvenir" (v. 38), una categoría bastante amplia con respecto al futuro del creyente, podrán separarnos del amor de Dios.

La prueba del gran amor de Dios es la entrega de su unigénito Hijo amado. El versículo 32 es extraordinario: "El que no eximió ni a su propio Hijo sino que lo entregó por todos nosotros, ¿cómo no nos dará gratuitamente también con él todas las cosas?" Dios no eximió a su Hijo porque esa es la única manera en que pudo perdonarnos. El Hijo de Dios se hizo pecado por nosotros y cargó la justicia de la ira que merecemos. Y ahora, ¿cuál es tu futuro en Cristo? ¡Dios ha prometido que te dará todas las cosas!

Hay una lógica irrefutable en este versículo. Es la lógica del amor de Dios. Dios ya nos ha dado a su Hijo unigénito, que es el don más grande imaginable debido al amor infinito que tiene por su Hijo. No hay don más grande; no hay nada más costoso para Dios que cambiar su ira en gozo del cielo, maldecir al Bendito, y arrojar en tinieblas al Resplandor de Gloria, ¡a su propio Hijo!

Por lo tanto, si Dios hizo lo más grande en su amor, ciertamente hará cosas menores debido a ese mismo amor.

¿Qué significa que Dios nos dará "todas las cosas"? No significa que te dará un automóvil nuevo o la casa de tus sueños. No significa que todos nuestros problemas desaparezcan inmediatamente. Más bien, significa que Dios nos dará todo lo que necesitamos para la fecundidad espiritual. Todo lo que necesitas para llevar la vida fiel a Cristo, todo lo que necesitas para ser transformado a la imagen de Cristo, él te dará.

J. I. Packer explica este versículo de esta manera: "El significado de 'nos dará con él todas las cosas' se puede poner así: un día veremos que nada, literalmente nada, que podría haber aumentado nuestra felicidad eterna nos ha sido negado, y que nada, literalmente nada, que podría haber reducido esa felicidad se ha quedado con nosotros".[6]

¡Este amor es más grande de lo que podemos imaginar! ¡No es de extrañar que Pablo ore en Efesios 3 para que Dios le ayude a conocer este amor que sobrepasa todo entendimiento!

Una de las palabras más importantes en Romanos 8:32 es la palabra "gratuitamente". Que este futuro brillante se nos dé *gratuitamente* significa que no se gana. Caemos tan fácilmente en la idea de que Dios nos dará lo que necesitamos mientras trabajemos por él o lo ganemos. Mientras no cometa errores, mientras me esfuerce por ser un súper cristiano, siempre y cuando nunca dude de su amor, entonces Dios me bendecirá. Pero no es así. Él *gratuitamente* nos da con él todas las cosas buenas.

Guardado por el amor inmerecido

Tu futuro no depende de tu capacidad para aferrarte a Cristo, sino de su capacidad de aferrarte a ti. Así como somos salvos por la gracia, así también somos sostenidos por la gracia. Así como nos convertimos por el amor inmerecido, así somos mantenidos por el amor inmerecido.

Charles Spurgeon nos recuerda el carácter misericordioso del amor de Dios: "Cristo no nos amó por nuestras buenas obras. Estas no son la causa de su amor continuo por nosotros. Él no nos ama por nuestras buenas obras incluso ahora. Ellas no son la causa de su amor continuo por nosotros. Él ama porque nos ama".[7]

Eres amado hoy como la posesión preciada del Señor, ahora y para siempre. Gózate en el gran amor de Dios, conténtate en su amor, vive como si fueras amado. Octavio Winslow dice:

> Nuestro Gran Pastor, que dio su vida por las ovejas, guía a su rebaño, y ha declarado que nadie los arrebatará de su mano. Somos más que victoriosos a través de su gracia quien no amó en las mismas circunstancias que amenazaban con abrumarnos. No temas, entonces, la nube más oscura, ni las olas más feroces, ni los deseos más profundos, en estas mismas cosas, por medio de Cristo, saldrás victorioso.[8]

Las nubes oscuras y las olas feroces seguirán llegando. Pero esta es la pregunta: ¿Estás viviendo en tranquilidad y seguridad de saber que el amor de Dios por ti es inquebrantable y eterno? ¿Te sientes amado con el amor más grande que el mundo haya conocido? Este es el anhelo de Dios para ti.

Cuando tememos que nuestro aferrarnos a Cristo fracase, debemos recordar su mano fuerte sobre nosotros. Hay un amor que calma y da reposo a todos nuestros temores del futuro. Hay un amor que nunca muere. Estamos en la mano fuerte y amorosa de Jesús, que promete mantenernos en su amor eterno.

Preguntas para la reflexión

1. ¿En qué se diferencia el amor de Dios del amor humano?

2. Lee Romanos 8. Según Romanos 8, ¿cómo nuestra visión del futuro cambia nuestra vida presente?

7

Besaremos las olas

El evangelio nos prepara para el dolor y la pena

Hay un futuro brillante que viene cuando Cristo regrese. Ese día, viviremos en el mundo que siempre hemos anhelado, un lugar de gozo perfecto, un hogar donde los tiempos difíciles nunca volverán a ocurrir. Mientras tanto, es necesario pasar por muchas dificultades para entrar en el reino de Dios (Hechos 14:22). Mientras esperamos recibir una herencia indestructible, estaremos, por un tiempo, afligidos por diversas pruebas (1 Pedro 1:6).

¿Cómo debemos pensar en las pruebas que sin duda vendrán?

Como cristianos, no desmayamos ni retrocedemos. La gracia por la cual somos salvos nos prepara para el sufrimiento librando la guerra contra el temor y la incredulidad, y sembrando una esperanza inquebrantable en nuestra alma.

Los pingüinos están hechos para soportar el frío, los yunques están hechos para soportar el martillo, las tejas están hechas para soportar la lluvia, y los cristianos están hechos para soportar las pruebas. Dios, al regenerarnos, haciéndonos una nueva criatura en Cristo, ha hecho más para prepararnos para el sufrimiento que los más valientes de los incrédulos podrían hacer por sí mismos.

El Señor nos ha hecho nacer de nuevo para que tengamos una esperanza viva a través de la resurrección de Jesús (1 Pedro 1:3). Él ha puesto en lo más profundo de nosotros un amor por él como una brújula para tu alma, un amor que te vuelve al Señor en todo tu sufrimiento. La paz de Dios guardará nuestro corazón y pensamiento cuando nos amenacen las inquietudes (Filipenses 4:6–7). La esperanza que tenemos en Cristo no se desvanecerá, sino que sólo crecerá en la hora de prueba.

Las nubes que ahora tememos

Algunos de nosotros miramos hacia adelante y vemos nubes oscuras de tormentas que se ciernen sobre el horizonte. Es bueno recordar las palabras del escritor William Cowper:

> Vosotros, santos temerosos, reciban valor nuevo;
> Las nubes que tanto teméis
> Son grandes con misericordia y
> caerán en bendiciones sobre vuestra cabeza.[1]

Las únicas nubes que pueden entrar en tu vida son las nubes con grandes misericordias. Y cuando esas nubes se abran, derramarán bendiciones divinas sobre tu cabeza.

El valor en el presente no surge de creer que las pruebas futuras no vendrán, sino de saber que cuando vengan, Dios nos sostendrá y fortalecerá.

Saquea nuestra propiedad, y la aceptaremos con gozo porque tenemos un patrimonio mejor y más permanente (Hebreos 10:34).

Que la polilla y el óxido destruyan y los ladrones entren y roben, pero nuestros tesoros no serán tocados (Mateo 6:19–21). Aunque vengan sobre nosotros diversas pruebas, no nos sorprenderemos, sino que nos regocijamos de que somos participantes de los sufrimientos de Cristo (1 Pedro 4:12–13). Aunque venga el terror repentino, no temeremos, porque el Señor será nuestra confianza y nuestro protector (Proverbios 3:25–26). Cuando crucemos los ríos, las aguas no nos cubrirán. Cuando caminemos por el fuego, las llamas no nos quemarán (Isaías 43:2).

Sabemos que la crisis vendrá, pero el Señor estará con nosotros. Llegarán días de debilidad y pesar, pero serán días en los que el poder de Dios y el gozo del Señor se manifestarán en nosotros.

David Powlison afirma: "En las manos de un Dios amoroso, el dolor y el sufrimiento se convierten en puertas a los gozos más grandes e indestructibles".[2]

Hay un viejo refrán que se atribuye popularmente a Charles Spurgeon. El origen es incierto, pero la verdad es gloriosa: "He aprendido a besar la ola que me lanza contra la Roca eterna".

Lo peor que pueden hacer las olas de las dificultades es lanzarte contra la Roca eterna, obrar para tu bien y prepararte un peso eterno de gloria.

Cuando pases por las aguas

Los últimos veintisiete capítulos del libro de Isaías (capítulos 40–66) son un tesoro para aquellos que enfrentan pruebas presentes o futuras. Dios permitió que el profeta Isaías supiera que grandes dificultades vendrían contra el pueblo de Israel. Su templo sería destruido, su tierra sería conquistada, y ellos pasarían setenta años en cautiverio en Babilonia. Isaías profetizó la oscuridad venidera.

Tal vez mires hacia el futuro y veas días difíciles llenos de lágrimas, pérdida, enfermedad y dolor crónico. Estos capítulos de Isaías fueron escritos para ti.

A partir del capítulo 40, Isaías trae un mensaje de consuelo y esperanza a un pueblo abrumado por la incertidumbre y el temor con respecto al futuro. Dios quiere que su pueblo sepa que ha fijado su amor sobre ellos y que estará con ellos, para sostenerlos y liberarlos en la hora de la prueba. Él se niega a permitir que nuestra visión se limite solo a las pruebas, y llama nuestra atención hacia sí mismo, el Dios de toda consolación. Este es el mensaje que Dios da en Isaías 41:9–10, NVI:

"Te tomé de los confines de la tierra,
te llamé de los rincones más remotos,
y te dije: "Tú eres mi siervo".
Yo te escogí; no te rechacé.
Así que no temas, porque yo estoy contigo;
no te angusties, porque yo soy tu Dios.
Te fortaleceré y te ayudaré;
te sostendré con mi diestra victoriosa".

Sí, sufrirás, pero no temas y llénate de valor. ¿Por qué? Porque, Dios dice, "Yo te escogí", "Yo soy" y "te ayudaré":

- *"Te escogí".* El Señor ha puesto su amor sobre ti. Has sido elegido en Cristo y perteneces a Dios para siempre.
- *"Estoy contigo"* y *"Yo soy tu Dios".* Mis sentimientos pueden decirme que estoy solo, pero Dios dice que él está conmigo. Él no me ha abandonado; a pesar de mi pecado, todavía se declara mi Dios.
- *"Te fortaleceré y te ayudaré y sostendré."* Dios dice, "lo haré" catorce veces en Isaías 41. Él conoce nuestra debilidad

y conoce cada prueba que enfrentaremos. Su promesa es que Él obrará a nuestro favor. Él te dará la fuerza que necesitas para el camino que tienes por delante.

"¡Lo haré!", "¡Yo soy"! ¿Acaso no es como nuestro Dios, tan rico en gracia, preocuparse tanto para persuadirnos de que nos librará de una prueba que aún no ha llegado? El Señor quiere que sepamos de antemano que no debemos considerar nuestras dificultades el final de la historia. "Porque yo sé muy bien los planes que tengo para ustedes —afirma el Señor—, planes de bienestar y no de calamidad, a fin de darles un futuro y una esperanza" (Jeremías 29:11 NVI).

Dios cuida de su pueblo en cada generación, en los tiempos de los profetas y en nuestros días, declarando los planes futuros que tiene para nosotros en Cristo. "¡Yo soy!", "¡Lo haré!" Estas tres declaraciones son hoy para rechazar nuestro temor. Y esta actividad divina debe formar nuestra visión de cualquier dificultad que se nos presente.

"Pero ahora, así dice el Señor,
el que te creó, Jacob,
el que te formó, Israel:
«No temas, que yo te he redimido;
te he llamado por tu nombre; tú eres mío.
Cuando cruces las aguas,
yo estaré contigo;
cuando cruces los ríos,
no te cubrirán sus aguas;
cuando camines por el fuego,
no te quemarás ni te abrasarán las llamas"
(Isaías 43:1-2, NVI).

Él me sostendrá

El 12 de marzo de 2017, exactamente nueve meses después del diagnóstico de cáncer de Aggie, Meghan y yo nos paramos frente a nuestra familia de la iglesia para expresar nuestra gratitud y testificar la gracia sustentadora de Dios a través de la prueba más difícil que hemos conocido. Yo sostuve a Aggie mientras Meghan hablaba. Aggie sólo había podido llegar a la iglesia un par de veces desde su diagnóstico, así que era especial tenerla allí.

Una de las maneras más poderosas en que experimentamos la gracia de Dios fue a través del amor y el apoyo que recibimos de nuestra iglesia. Los hermanos de la congregación nos proveyeron de innumerables comidas, se quedaron con Aggie los domingos por la mañana para que Meghan pudiera asistir a la iglesia, cuidaron a nuestros hijos, limpiaron nuestra casa, ayudaron con las compras de comestibles, nos visitaron en el hospital, oraron por nosotros y mucho más.

Ese domingo por la mañana, Meghan leyó dos anotaciones de su diario a la iglesia, para testificar de la manera en que Cristo la había sostenido en medio de un gran dolor. Una entrada en el diario fue escrita dos semanas después del diagnóstico de Aggie. El dolor y el trauma prolongados que Meghan experimentó durante esos meses fueron abrumadores.

Fue en ese momento de dolor profundo que ella se aferró a la verdad que Cristo era quien se aferraba a ella. Ella tenía la sensación de que Dios le estaba diciendo que su testimonio sería que ella es débil y temerosa, pero Cristo es el que la sostiene fuerte. Esto es lo que Meghan escribió el 26 de junio de 2016:

> Esta noche es la segunda vez en dos semanas que estoy durmiendo en mi propia cama. Pero cada vez que vengo a casa y Aggie y Jared no están conmigo, mi corazón se llena

de tristeza. Meter a Juliet y Lily en la cama y ver la cuna vacía de Aggie es tan triste; meterme a la cama sin Jared a mi lado es tan triste.

Y me pregunto si la vida en los próximos dos años siempre tendrá al menos una sombra de tristeza en ella... Me pregunto si alguna vez tendremos momentos de risa y alegría.

Mi corazón está realmente abrumado por el dolor y no puedo pensar en el futuro sin sentir temor y tristeza. Pero mi Salvador conoce un dolor abrumador. Y sé que Cristo me sostendrá. Y sé que su amor por todos nosotros es más profundo, más fuerte y más tierno de lo que puedo comprender.

Y así confío. Lloro, pero confío... me duele el corazón, pero confío ... tiemblo, pero confío ... mi pie se desliza, pero confío porque Cristo me sostendrá.

Casi ocho meses después, el 9 de enero de 2017, esto es lo que escribió:

¡Los últimos días me ha impresionado cuánto gozo Aggie trae a toda nuestra familia. Ella es una niña alegre y difunde su alegría dondequiera que vaya!

Mientras medito en esto, vino a mi memoria los pensamientos y temores que tuve esos primeros días del diagnóstico de cáncer de Aggie. Temía que nuestra familia ya no tuviera momentos llenos de risas... Pensé que la pesadez y la oscuridad del cáncer infantil estarían ahí todo el tiempo, ensombreciendo todo y borrando la risa y la luz... No podía imaginarme un momento en que no me sintiera profundamente triste.

Pero me di cuenta esta mañana de que eso es algo que olvidé que sentí ... es un recuerdo lejano. El Señor ha sido bueno y compasivo y ha respondido a tantas oraciones. Él ha derramado gracia sobre Aggie y le ha dado un espíritu firme y lleno de gozo y que a su vez bendice a toda nuestra familia. Es realmente algo para tener en cuenta: ver a esta niña con su dulce y pequeña cabeza calva disfrutando de la vida... incluso con sus limitaciones actuales.

El Señor conocía mis temores y oyó mis clamores por ayuda y antes de darme cuenta, él contestó esas oraciones y calmó esos temores. ¡Gracias, Señor! Y lo que nunca esperé es que Él nos haya dado un gozo en cada día más profundo antes del cáncer porque dimos por sentado algunas cosas. Nos ha dado más de lo que pedimos o imaginamos, no sólo conservando el gozo, la luz y la risa, sino profundizándolos y aumentándolos incluso en presencia del dolor. Sin duda Cristo nos sustenta.

Meghan concluyó sus comentarios a la iglesia con estas palabras: "Y así doy testimonio esta mañana de que, bajo mi propia fuerza, soy una madre débil y temerosa, pero Cristo me sostiene... él no me ha dejado sola por un momento. Él me ha hecho enfrentar a una de mis peores pesadillas como madre y en ese lugar ha demostrado ser mi sustentador una y otra vez. Toda mi esperanza está en él."

Grandes verdades para pruebas futuras

No es la voluntad de Dios que enfrentemos el sufrimiento con estoicismo o fatalismo. Pero la Palabra de Dios nos prepara con las verdades que necesitamos para enfrentar cualquier dificultad que encontremos en el camino con confianza en Cristo. ¿Cuáles son las verdades que nos preparan para las penas futuras?

Dios nos cuida con amor paternal. Nuestro consuelo está en saber que nada nos apartará del propósito bueno y soberano de nuestro Padre. La pregunta y respuesta de apertura en *El Catecismo de Heidelberg*, con respecto a nuestro único consuelo en la vida y en la muerte, dice que Cristo "vela por mí de tal manera que ni un cabello puede caer de mi cabeza sin la voluntad de mi Padre celestial: de hecho, todas las cosas deben obrar para bien para mi salvación".[3]

Nuestro sufrimiento siempre es previsto, nunca casual. Juan Calvino dice que nada es más útil que el conocimiento de la doctrina de la providencia de Dios.[4] Él dice que la providencia de Dios significa que nada pasa sin el conocimiento de Dios, sino que Dios ha decretado a sabiendas y voluntariamente.[5] Esta es una buena noticia para los hijos de Dios. "Sagrado es la seguridad que descansa en su providencia."[6] Hoy puedes experimentar esta seguridad.

En la sabiduría de Dios, los propósitos divinos ahora ocultos, algún día serán revelados. En la actualidad hay misterios en la providencia de Dios. Pero en el futuro, veremos el objetivo de nuestra experiencia actual. Esto infunde propósito en todas nuestras luchas y penas. Las partes de nuestra vida que actualmente parecen sin sentido algún día se revelarán como llenas de significado.

Somos como José en el libro del Génesis. En el presente, somos odiados, maltratados, aislados y acusados falsamente. Pero se acerca un día, como llegó para José, cuando se revelarán los buenos propósitos de Dios. Confesaremos con nuestra boca y veremos con ojos de la fe que aunque otros hayan pensado hacernos mal, Dios transforma ese mal en nuestro bien (Génesis 50:20).

Charles Spurgeon dice:

> Llegará el día en que te sorprenderás que había orden en tu vida cuando pensaste que todo era confusión. Te sorprenderás de que era amor y pensaste que era rudeza, que había amabilidad y pensaste que era severidad, que había

> sabiduría cuando fuiste lo suficientemente vil como para refutar la justicia de Dios.[7]

Encomendarnos a la sabiduría de Dios significa que resolvemos que, no importa lo que venga en nuestro camino, declararemos al Señor: "Tú eres bueno y haces el bien" (Salmos 119:68). Encomendaremos nuestra vida a sus propósitos para nosotros y sabremos que sus propósitos son para nuestro bien.

El Señor es tu protector. El Salmo 91 es una celebración de la protección de Dios en medio de las dificultades futuras desconocidas. "Ya que has puesto al Señor por tu refugio, al Altísimo por tu protección, ningún mal habrá de sobrevenirte, ninguna calamidad llegará a tu hogar" (Salmos 91:9-10, NVI).

Si no tuviera la certeza de la protección de Dios todos mis días, entraría en pánico por lo desconocido y la desesperación en las tinieblas. Pero el Señor es mi refugio y mi fortaleza (91:2), mi guardador y mi libertador. Su fidelidad es un escudo y un baluarte (91:4).

¿Qué significa la protección prometida de Dios? Significa que el Señor te protegerá de la ira divina, que es sustentador de tu fe, que evitará que tropieces, que protegerá tu alma, que te mantendrá a salvo del Maligno y frustrará los propósitos de todos tus enemigos. Cuando le llames, te contestará y te rescatará. "Estaré con él en momentos de angustia" (91:15 NVI).

Por tanto, "no temerás el terror de la noche, ni la flecha que vuela de día" (91:5). Aplastaremos al león y a la víbora (Salmos 91:13) Cristo es nuestro poderoso protector, y por su poder veremos la derrota de nuestros enemigos (Salmos 59:10).

Dios usa el sufrimiento para refinarnos más como Cristo. Isaías 48:10 NVI, dice: "¡Mira! Te he refinado, pero no como a la plata; te he probado en el horno de la aflicción". Dios nos está refinando, madurando y haciéndonos más como Cristo. En el sufrimiento,

Dios a menudo obra en nosotros de maneras que no sabemos, haciéndonos crecer de maneras que nunca podríamos simplemente a través de nuestro propio esfuerzo.

Nuestras aflicciones producen gloria eterna. El apóstol Pablo conocía los encarcelamientos y naufragios, azotes y el ser golpeado con varas, hambre y sed, fatigas y pesar, dolor y sufrimiento (2 Corintios 11:23–28). Sin embargo, en todas sus aflicciones conoció la verdad que escribe en 2 Corintios 4:17 NVI: "Pues los sufrimientos ligeros y efímeros que ahora padecemos producen una gloria eterna que vale muchísimo más que todo sufrimiento".

Cuanto mayor sea nuestro sufrimiento, mayor será nuestra esperanza. Las pruebas son la manera de Dios de separar nuestro corazón de este mundo, profundizando nuestro anhelo de cielo. "Y no solo en esto, sino también en nuestros sufrimientos, porque sabemos que el sufrimiento produce perseverancia; la perseverancia, entereza de carácter; la entereza de carácter, esperanza" (Romanos 5:3-4, NVI).

El Dios de toda consolación nos consolará en todas nuestras tribulaciones. Dondequiera que el sufrimiento nos lleve, el consuelo de Dios nos encontrará. Él es el "Padre misericordioso y Dios de toda consolación, quien nos consuela en todas nuestras tribulaciones" (2 Corintios 1:3-4). Isaías 51:3 NVI, dice: "Sin duda, el Señor consolará a Sión; consolará todas sus ruinas. Convertirá en un Edén su desierto; en huerto del Señor sus tierras secas. En ella encontrarán alegría y regocijo, acción de gracias y música de salmos". Cuanto más se pierden nuestro bienestar terrenal, más profundos es nuestra prosperidad en el amor de Dios.

El sufrimiento nos prepara para dar el consuelo de Dios a los demás. 2 Corintios 1:4 NVI, dice que la razón por la que Dios nos consuela en la aflicción es para que "con el mismo consuelo que hemos recibido de Dios, también nosotros podamos consolar a todos los que sufren".

Todas las cosas obran para nuestro bien. Romanos 8:28 NVI es cierto, e imagina la confianza que tendríamos si pudiéramos vivir como si fuera verdad. "Ahora bien, sabemos que Dios dispone todas las cosas para el bien de quienes lo aman, los que han sido llamados de acuerdo con su propósito".

Nada puede venir a tu vida excepto aquellas cosas que serán para tu beneficio final. No puedes apartarte del camino de la benevolencia divina. Nos debilitamos por la ansiedad, aun cuando todas las cosas siguen proyectando para nuestro bien. Para aquellos en Cristo, lo peor que nuestros enemigos pueden hacer es contribuir sin saberlo al cumplimiento de los planes de Dios para nosotros.

Las pruebas engrandecen la fidelidad de Dios con nosotros. Las pruebas de la vida son aquellos lugares donde se declara en voz alta la fidelidad de Dios. Todo peligro y cada dolor magnifican la gloria de la gracia sustentadora de Dios. Allí Dios demuestra su protección y manifiesta su poder.

Dios recompensará ricamente nuestra fidelidad en el sufrimiento. En el libro de Santiago, Dios nos instruye a considerarnos muy dichosos cuando tengamos que enfrentarnos con diversas pruebas (1:2). Esto se debe a que sabemos la mayor firmeza, madurez y fe que Dios está produciendo en nosotros a través de las pruebas (1:3–4), y la recompensa que llega a aquellos que soportan las dificultades por el poder de Dios. "Dichoso el que resiste la tentación porque, al salir aprobado, recibirá la corona de la vida que Dios ha prometido a quienes lo aman" (1:12 NVI).

Dios usa el sufrimiento para enseñarnos acerca de sí mismo. Muchos de nosotros podemos testificar: "Antes de sufrir anduve descarriado, pero ahora obedezco tu palabra" (Sal 119:67 NVI). Por lo tanto, "Me hizo bien haber sido afligido, porque así llegué a conocer tus decretos" (Sal 119:71 NVI).

La cruz de Cristo da una perspectiva esencial en nuestro sufrimiento. ¿Qué pasaría si la hora más oscura de la historia pudiera convertirse en el momento de mayor gloria? ¿Qué pasaría si la muerte de Cristo y el aparente triunfo del mal pudieran convertirse en la alabanza del cielo y la victoria de Dios? Esto es exactamente lo que Dios ha hecho.

La cruz de Cristo es la garantía de que Dios extrae gozo del dolor y vida de la muerte. Si Dios dio a su Hijo por nosotros, es nuestro defensor siempre y su amor ha sido probado de una vez por todas. John Stott observa: "Tenemos que aprender a subir al monte llamado Calvario, y desde ese lugar evaluar todas las tragedias de la vida. La cruz no resuelve el problema del sufrimiento, pero proporciona la perspectiva esencial desde el cual mirarlo".[8]

Si supieras la historia que Dios está escribiendo, no despreciarías este capítulo presente ni temerías al siguiente.

Todo el sufrimiento del pueblo de Dios terminará un día. El Evangelio nos enseña a mirar más allá de una vida de dolor a una eternidad de gozo. Los gemidos presentes pronto darán paso a la gloria futura. La muerte y resurrección de Cristo garantizan un futuro en el que Dios mismo enjugará toda lágrima de nuestros ojos. No habrá muerte, ni llanto, ni dolor, porque las primeras cosas han dejado de existir (Apocalipsis 21:4).

¡¿Qué más puede decir Dios?! Él nos ha amado, está con nosotros, nos fortalecerá y nos defenderá. En esta vida, habrá penas. Debo permitir que las buenas nuevas de lo que Cristo ha hecho me prepare para el sufrimiento. Confiaré ahora y para siempre en la bondad de Dios. Lloraré, lamentaré y anhelaré la edad venidera.

Y hasta ese día, también me regocijaré en el sufrimiento, y besaré cada ola que me arroje contra la Roca eterna.

Preguntas para la reflexión

1. ¿Qué situación difícil has pasado que ahora puedes recordar y ver cómo Dios te ayudó y sostuvo?

2. ¿Cuál de las "Grandes verdades para las pruebas futuras" que hemos compartido en la última parte de este capítulo es más alentadora y oportuna para ti?

8

Para padres que se preocupan

Ama a tus hijos riéndote del porvenir

Proverbios 31 proporciona una representación de una familia marcada por la virtud, la madurez y la sabiduría. La descripción no es un esquema de las actividades impuestas para cada mujer, sino una descripción de la sabiduría en acción. No tiene como propósito desalentar, sino inspirar.

Una de las características más convincentes de la mujer que se describe en Proverbios 31 es su visión del futuro en relación con su hogar. Hay algo aquí para que todos los padres lo imiten, ya sean madres o padres. Ella no teme lo que el cambio podría traer a su familia: "Si nieva, ella no tiene que preocuparse de su familia" (31:21 NVI). Ella es tan fuerte y digna, es como si estas cualidades fueran la ropa que usa: "Se reviste de fuerza y dignidad, y afronta segura el porvenir" (31:25 NVI). Su visión del futuro no está marcada por la preocupación o el temor, sino por una confianza entusiasta en el Señor. Ella mira el futuro y se ríe.

Si bien este capítulo está escrito con los padres directamente en mente, espero que también ayude a aquellos que no son padres, pero que pueden preocuparse por alguien a quien aman.

Temores comunes de los padres

Ningún padre quiere estar vestido de miedo y ansiedad. Pero a menudo nos damos cuenta de que carecemos de confianza en Cristo para el futuro de nuestra familia. Criamos a nuestros hijos bajo la carga de imaginar los peores escenarios, y la tiranía de "¿qué pasa si...?" domina nuestra crianza.

Los temores de los padres son familiares y comunes para todos nosotros:

- Miedo a las influencias negativas. *¿Qué pasa si la mala compañía lleva por malos caminos a nuestros hijos?*
- Miedo a que estemos arruinando a nuestros hijos. *¿Qué pasa si estamos privando a nuestros hijos de la crianza, la capacitación y las oportunidades que necesitan para alcanzar su potencial?*
- Miedo a avergonzar a nuestra familia. *¿Qué pasa si ellos se convierten en una fuente de vergüenza?*
- Miedo a que no sean normales. *¿Qué pasa si no son como otros niños, o no encajan socialmente?*
- Miedo a daños físicos o emocionales. *¿Qué pasa si sufren un accidente o lesión o enfermedad, o alguien los lastima?*
- Temen a que no vivan para Cristo. *¿Y si niegan el Evangelio, se rebelan contra Cristo y prefieren seguir una vida de locura y pecado?*

Nuestro Padre celestial nos invita a confiar nuestros hijos a su cuidado, a recordar el poder de su evangelio al educarlos, a dejar de ser autosuficientes que produce ansiedad y a amar a nuestros hijos mostrándoles cómo caminar con el gozo de la esperanza. Sólo cuando reconocemos el poder y el amor de Cristo hacia nosotros y por nuestros hijos podemos reírnos de los días venideros.

"No tengas miedo; cree nada más"

En el libro de Marcos, hay trece personas que son personajes menores, cada uno enfrentando un problema distinto en un mundo caído. Estos personajes cierran la distancia entre el mundo del siglo I y nuestro mundo moderno. Cada uno de estos hombres y mujeres viene a Jesús en busca de ayuda, y Jesús, lleno de misericordia, se encuentra con ellos en su angustia.

Entre ellos está un funcionario de la sinagoga llamado Jairo, cuya hija de doce años está agonizando y finalmente muere. Marcos 5 cuenta la historia de este padre y el temor al que se enfrenta.

Cuando Jairo vio por primera vez a Jesús, se arrojó a sus pies, suplicándole con insistencia. "Mi hijita se está muriendo" (Marcos 5:23 NVI). Jesús accedió a ir con él. En el camino, alguien de la casa de Jairo vino y le informó que su hija había muerto. Jesús escuchó esto y le dijo palabras de esperanza a Jairo: "No tengas miedo; cree nada más" (5:36 NVI).

La fe es la solución al temor, incluso los temores que tenemos con respecto a nuestros hijos. En cada situación, los padres están llamados a mostrar confianza en el Señor.

Cuando Jesús llegó, mandó a todos que salieran de la casa, y fue con Jairo y su esposa a ver a su hija. Jesús se acercó y tomó la mano de esta niña. Luego dijo las palabras de la vida: *Talita cum.* "Niña, a ti te digo, ¡levántate!"

Algunos de nosotros sabemos lo que es experimentar tener una hija al borde de la muerte. De una manera u otra, todos los padres saben lo que es temer por el bienestar de un hijo muy querido.

Esto es lo que he aprendido de la historia de la hija de Jairo: Primero, *nunca debemos olvidar que Jesús ama a nuestros hijos aún más que nosotros.* La atención que Jesús le dio a esta niña es consistente con su disposición bondadosa hacia otros niños. Él dijo: "Dejen que los niños vengan a mí" (Marcos 10:14), "y después de abrazarlos, los bendecía poniendo las manos sobre ellos" (10:16).

Dios conoce y ama personalmente a cada uno de tus hijos. Él los ha hecho tal como son. Y Él los ha colocado soberanamente en tu hogar para que ellos aprendan acerca de él y de su salvación. Es una prueba de la bondad del Señor hacia tus hijos y la evidencia de su búsqueda de ellos.

Segundo, *Jesús está listo por reunirse con los padres en momentos de angustia.* Cuando Jairo vino a Jesús en su momento de necesidad, Jesús no lo rehusó. Nosotros también podemos ir a Jesús, arrojarnos a sus pies y suplicarle fervientemente que ayude a nuestros hijos. Ya sea que sus necesidades sean físicas o espirituales, Jesús comprende nuestra angustia y participa en nuestro cuidado, porque somos muy amados por él.

Tercero, *Jesús puede hacer por nuestros hijos lo que nosotros no podemos hacer.* Sólo Dios puede resucitar a un niño de la muerte. Esto significa que la mayor necesidad de nuestros hijos, la salvación del pecado y la muerte, está más allá de nuestra capacidad de proporcionarles.

Debería haber algo de la desesperación y dependencia de Jairo que marque nuestra crianza. Acércate a Jesús en nombre de tus hijos. Convierte tus preocupaciones sobre tus hijos en oraciones por tus hijos. Nuestro Padre Celestial escuchará nuestras oraciones. Deposita en él toda ansiedad, sabiendo que él cuida de ti. "No se inquieten por nada; más bien, en toda ocasión, con oración y ruego, presenten sus peticiones a Dios y denle gracias. Y la paz de Dios, que sobrepasa todo entendimiento, cuidará sus corazones y sus pensamientos en Cristo Jesús" (Filipenses 4:6–7).

La obra de Dios en la vida de nuestros hijos no está limitada de ninguna manera por nuestras deficiencias. A menudo somos conscientes de nuestras limitaciones con la tarea de crianza. Nuestra fuerza nos falla, nuestra sabiduría flaquea, nuestro ejemplo es pobre. No quiero restar importancia a la fidelidad de los padres, pero debemos insistir en que el factor determinante en la vida de nuestros hijos es la gracia y el poder de Dios.

Cuarto, *Jesús nos da fe para hacer todo lo que nos llama a hacer.* Él no sólo nos manda caminar con fe y resistir el miedo, sino que actúa de una manera que extrae nuestra confianza. Él pone su poder, su amor y su sabiduría en nuestra vida. Jesús ha demostrado su bondad de una vez por todas en su muerte. La cruz es una declaración de que Dios pelea por ti y está contigo. La crianza temerosa es el resultado de ser más consciente de nuestra debilidad que el poder de Dios, más consciente del pecado que de la gracia, más consciente de la locura humana que de la sabiduría divina, más consciente de la rebelión que del rescate, más consciente de la muerte que de la vida.

Los pródigos y el poder de Dios

Lamento que pase mis años de adolescencia viviendo para mí. Una de las primeras cosas que habrías notado al entrar a la iglesia a la que asistí fue al hijo irrespetuoso del pastor en la primera fila, que estaba aburrido y sin vida durante todo el servicio, incluido el sermón. Ese fui yo.

Hubo un período de tres años de mi vida, desde que tenía catorce años de edad hasta los dieciséis años, cuando mis padres pensaron que me habían perdido para siempre. Y ellos me *habían* perdido, en el sentido de que ellos ya no tenían ningún control sobre mi comportamiento y no me importaba obedecerlos ni obedecer a Dios.

Yo definía a Dios en mis propios términos, y Él se convirtió en un dios que no tenía opiniones sobre cómo yo viviría. Me aparté de mis padres. La actitud que adopté hacia los demás fue: "Te dejaré en paz y me dejarás en paz. No voy a pedir nada de ti, y todo lo que quiero de ti es que devuelvas el favor".

El mundo ejercía una fuerte atracción en mi corazón, y comencé a hacer cosas a espaldas de mis padres. Les dije a mis padres que no me importaba tener remordimientos e incluso les dije que quería tener remordimientos. En cada conversación con mis padres, mi objetivo era provocar la ira de mi papá y hacer llorar a mi mamá. Lamentablemente, yo era bastante bueno en estas dos cosas.

En febrero de 1996, cuando estaba en décimo grado, empecé a salir con una chica que no era cristiana. Mi relación con Meghan (ahora mi esposa) se volvió seria. Escondí la relación de mis padres todo el tiempo que pude. Cuando finalmente ellos se enteraron, les dije que las cosas no iban a cambiar.

En resumen, yo era un enemigo de Dios. Me opuse a él en mi pecado y Dios se oponía justificadamente contra mí en su santidad.

Doy gracias a Dios que mis padres no me dieron la espalda. Y lo que es más importante, Dios no me dio las espaldas. Unos años más tarde, Dios obró en mi vida a través de unas conversaciones que mis padres iniciaron conmigo y a través de las oraciones de muchas personas en nuestra iglesia. Tuve la convicción de mi pecado y de mi locura. Sabía que no estaba honrando a mis padres y no honraba a Dios en mi relación con Meghan. Por el poder de Cristo resucitado, mis ojos se abrieron para ver la gracia de Dios en Cristo por primera vez. El Dios que dijo: "Que la luz resplandeciera en las tinieblas", hizo brillar su luz en mi corazón para que conociéramos la gloria de Dios que resplandece en el rostro de Cristo (2 Corintios 4:6 NVI).

La regeneración tiene una forma de cambiar las cosas. Lo viejo había pasado, lo nuevo había llegado. Yo era una nueva creación, con nuevas prioridades y pasiones. El pródigo había vuelto a casa.

No hay casos sin esperanza

En Lucas 15, la parábola del Hijo pródigo que se fue tan lejos de casa y se apartó tanto de la gracia, se dio cuenta, como muchos pródigos han hecho, de que su rebelión no era el final de la historia. Hay más gracia en Cristo que el pecado que hay en el más grande de los pródigos, y por lo tanto, nunca perdemos la esperanza.

Hay un poderoso Salvador que encuentra a los perdidos. Hay un poderoso Salvador que resucita muertos. Este poderoso Salvador dejó su vida y está vivo hoy, buscando y salvando a los perdidos. Hay pródigos como yo cuyas historias testifican que no hay casos desesperados.

John Newton fue criado en un hogar cristiano. Su madre le enseñó la Palabra de Dios y los himnos y lo educó a una edad temprana. Él huyó y se unió a la Marina real y se ganó una reputación por su completa falta de moralidad. Pero Dios va donde los padres no pueden ir y él es el Dios que puede hacer las cosas que los padres no podemos hacer en la vida de nuestros hijos. Un día, cuando Newton estaba en el mar, Dios envió una tormenta que fue usada para convertir a Newton. Él se volvió un cristiano fiel, un pastor habilidoso y un influyente escritor de himnos. La gracia que él proclamo, lo sabía por experiencia: "Sublime gracia del Señor, que a mi pecador salvó".

Los padres cristianos tienen razones para una gran confianza. No es porque tengamos la garantía de que nuestros hijos serán salvos. Cuando el Señor dice: "Instruye al niño en el camino correcto, y aun en su vejez no lo abandonará" (Proverbios 22:6), no es una promesa absoluta, sino una observación general de cómo las cosas funcionan con mayor frecuencia en el mundo de Dios.

Por lo tanto, no podemos dar a los padres una garantía firme de que sus hijos se volverán a Cristo. Pero podemos dar la verdad de que el Evangelio es más poderoso de lo que sabemos, y tiene una manera arraigarse y dar fruto a pesar de las debilidades de los padres y la rebelión de los jóvenes. Si Cristo ha resucitado, y si Cristo reina con poder y amor, no hay casos sin esperanza.

La gracia es mayor

A veces, como padres, pensamos: "Pero mis hijos parecen fuertemente inclinados hacia el pecado". En esos momentos, debemos recordar que Dios está aún más fuertemente inclinado hacia la gracia.

Satanás quiere que vivamos con un sentimiento constante de culpa con respecto a nuestros fracasos de crianza. Dios quiere que vivamos y eduquemos a nuestros hijos en la confianza de su gracia.

Tal vez tienes miedos porque eres un padre soltero, o porque tu cónyuge es un incrédulo o es un creyente, pero no activo en la educación de los hijos. Sientes que tu situación no es "ideal". Y puede haber un sentido en el que eso es cierto.

Pero he notado que los cristianos y las iglesias a veces están tan comprometidos a celebrar la situación familiar ideal que fracasamos en no celebrar la gracia que triunfa en medio del quebrantamiento, el pecado y la pérdida y en situaciones que no consideramos ideales. Nuestra esperanza no está en lo que consideramos ideal, sino en el ideal verdadero del plan bueno y soberano que Dios tiene para nosotros.

El núcleo familiar es una gran bendición, pero es un pésimo salvador. Debemos arrepentirnos de la idolatría y la autosuficiencia de una fe centrada en la familia, y reconocer nuestra tendencia a desviar nuestra confianza. Incluso un hogar cristiano fiel con dos padres, nunca puede satisfacer la mayor necesidad de un niño, que es la salvación del pecado y la muerte. Nuestra esperanza no es una existencia familiar ininterrumpida; nuestra esperanza es un Salvador que obra en medio del quebrantamiento.

Es necesario enfatizar esto para los padres solteros: El evangelio es poderoso para suministrar lo que falta cuando sólo hay un padre. La idea de que tus hijos están destinados al fracaso, o incluso que son más propensos a fracasar porque carecen de ambos padres, no es un pensamiento nacido del Espíritu de Dios. Es nacido del Enemigo. Es una mentira.

Alguien dice: "Bueno, las estadísticas muestran que los niños con un solo padre tienen menos probabilidades de florecer". Pero, ¿desde cuándo nuestra fe se rige por las estadísticas? ¿Qué dijeron las estadísticas sobre un hombre muerto que se levantó de la tumba al tercer día? ¿Qué dijeron las estadísticas sobre la probabilidad de que alguno de nosotros fuera rescatado del juicio que merecemos?

De hecho, los padres solteros necesitan saber que son objeto del cuidado especial del Padre. La novela de Leif Enger, *Un río de paz*, es una historia que se centra en un padre llamado Jeremiah Land. El provee para sus tres hijos trabajando como empleado de la escuela. En un momento dado, Enger dice con respecto a los hijos de Jeremías: "Los pequeños y los vulnerables tienen una protección lo suficientemente grande, si tan solo pudieras verla, que podría derretirte como gelatina. Cuidado con los que moran bajo la sombra de las Alas".[1]

Éxodo 22:22–24, RVC, dice: "No afligirás a las viudas ni ningún huérfano. Porque si llegas a afligirlo y él clama a mí, ciertamente oiré su clamor, y mi furor se encenderá". Ese mandamiento y advertencia es del corazón del Dios eterno. "Cuidado con los que moran bajo la sombra de las Alas". Padres solteros, Dios es capaz de cuidar de ti y de tus hijos. En lugar de ver las cosas como amontonadas contra ti y tus hijos, ten en cuenta de que Dios es por ti y ha prometido darte su cuidado especial.

Cómo verdaderamente bendecir a tus hijos

El objetivo de este capítulo ha sido recordar a los padres las razones que tienen para confiar con relación a sus hijos. La presencia de la fe no sólo es agradable para Dios, sino que también es una de los mejores legados que puedes transmitir a tus hijos.

El miedo será una carga para nuestra alma y enojará a nuestros hijos (Efesios 6:4) porque buscamos controlar lo incontrolable. El temor como padres nos priva de la paz y el gozo que tenemos en Cristo, ambas virtudes son lo que más necesitan ver nuestros hijos en nosotros.

Lo más importante que puedes hacer por tus hijos es deleitar tu alma en el Señor, confiar en su bondad, aceptar su soberanía y enfrentar el futuro con fe. El evangelio nos libera para modelar la diferencia que hace la gracia. Gracia significa que no estamos llamados a modelar una crianza perfecta, pero podemos modelar lo que parece necesitar un Salvador. La gracia significa que no tenemos que temer que Dios nos va a castigar por nuestros fracasos en la crianza. La gracia significa que el amor de Dios por nosotros es tenaz, de modo que nada pueda robar nuestro gozo en Cristo. Gracia significa que tus hijos no están ahora, y nunca lo estarán, más allá del alcance del brazo fuerte de Dios.

Por el poder de la gracia, no tengas miedo. Vístete con dignidad y fuerza. Ríete de lo porvenir.

Preguntas para la reflexión

1. Si eres un padre, ¿cuál es un temor común que enfrentas relacionado con la crianza? Si no eres padre, ¿hay un miedo común que enfrentas acerca de alguien a quien amas?
2. ¿Qué razones tienen los padres cristianos para criar a sus hijos con confianza?

9

Una cultura de pánico

El triunfo de la esperanza en medio de la crisis cultural

Cuando John Perkins tenía dieciséis años, su hermano mayor Clyde fue asesinado a tiros por un alguacil. Sucedió mientras Clyde esperaba entrar en una sala de cine. Se había metido en una fila en la entrada lateral que los afroamericanos se vieron obligados a usar, lo que le llevó a la sección segregada de la sala de cine donde los afroamericanos tenían que sentarse. El hermano mayor de John murió en sus brazos esa noche.

John Perkins se convirtió en cristiano a los veinte años de edad y luego en un líder en el movimiento por los derechos civiles. Hasta hoy día, él sigue siendo una voz poderosa para la justicia, la reconciliación racial y el desarrollo comunitario. En una ocasión se mudó a California, donde encontró oportunidades de trabajo y una vida mucho más fácil. Pero Dios lo llamó a regresar a Mississippi con el mensaje de Cristo para trabajar por la justicia allí.

A principios de la década de 1970, Perkins fue brutalmente golpeado, burlado y torturado físicamente por el comisario y la policía estatal. Ellos lo dejaron inconsciente, y cuando volvió en sí, se le llamó nombres racistas y fue obligado a limpiar toda su sangre. La brutalidad policial basada en la etnia condujo a la injusticia étnica de un sistema legal corrupto.

Pero la vida de John Perkins es una vida que embellece el evangelio de Jesucristo con misericordia y perdón. Él cree que la voz del amor es poderosa para mitigar la voz del odio. Él cree en el triunfo de la esperanza en el caos de la crisis cultural y la injusticia. Y su vida sólo puede explicarse por el hecho de que Cristo tomó el control de su vida.[1]

¿Cómo los cristianos deben responder a la decadencia cultural, a la decadencia moral y a las dificultades sociales? No con falta de esperanza o separación. No triunfantes, con pánico o desesperación. Respondemos con esperanza.

El mensaje del reino de Cristo no nos habla sólo de nuestro futuro personal. Incluye un mensaje de nuevo orden social y nos da una visión llena de esperanza de adónde se dirigen en última instancia la sociedad y la historia.

El avance del reino es seguro. Un día, todas las cosas serán sujetas bajo los pies del rey Jesús. Como dice el teólogo y predicador de la iglesia Bautista del Sur Russell Moore, "el triunfo del reino de Dios no se prueba por nuestro éxito electoral o nuestra influencia cultural... Nuestro triunfo está probado en la resurrección del soberano legítimo del mundo".[2]

Buenas noticias acerca de la injusticia

Gary Haugen no es ajeno a los males y las injusticias que plagan nuestro mundo. Haugen es un cristiano que pasó años desempeñándose como abogado querellante en la división de los derechos civiles del Departamento de Justicia de los Estados Unidos. En 1994, Gary se convirtió en el fundador y presidente de la Misión de Justicia Internacional (IJM, en inglés), un organismo mundial de los derechos humanos que protege a los pobres, rescata a las víctimas, fortalece los sistemas de justicia, plantea las injusticias sociales y estructurales, y trabaja incansablemente por la causa de la caridad.

Haugen escribió un libro llamado *Buenas noticias acerca de la injusticia* en el que presenta la enseñanza bíblica sobre la importancia de buscar la justicia. Dice que según la investigación y las observaciones de la MJI, las injusticias más comunes o prevalentes en el mundo de hoy incluyen:

- Explotación infantil
- Prostitución infantil
- Policía abusiva y corrupta
- Extorsión
- Asesinato
- Genocidio
- Violencia racial organizada
- Corrupción de la justicia pública
- Discriminación de minorías étnicas apoyada por el Estado
- Persecución religiosa
- Tortura
- Esclavitud

Nuestro corazón se quebranta cuando consideramos la oscuridad que llena la tierra. A lo largo de la historia y hasta el día de hoy, podemos escuchar el gemir del mundo bajo los efectos de la caída. La pornografía es una industria. Las protestas se vuelven violentas. El relativismo moral abunda. La ética sexual y la institución del matrimonio han sido abandonadas. Hay amenazas a la libertad de religión. El problema del encarcelamiento masivo sigue creciendo. Los no nacidos siguen siendo masacrados. Se habla de guerras. Líderes descarados y desvergonzados son elegidos para gobernar las naciones. El miedo y el odio nos rodean.

Lloramos, "¿Hasta cuándo, oh Señor?" (Salmos 13:1, RVC).

La injusticia, la violencia y la opresión son el resultado de la caída. Los efectos extendidos de la caída significan que tanto las personas como los sistemas están quebrados. Hay aspectos personales y sociales de la justicia que deseamos.

Russell Moore dice: "La Biblia nos muestra desde el principio que el alcance de la maldición es completo en su destrucción: personal, cósmica, social, vocacional (Génesis 3–11), y la Biblia nos muestra al final que el Evangelio es completo en su restauración: personal, cósmica, social, vocacional (Apocalipsis 21–22)".[3] En otras palabras, necesitamos una redención completa porque el mundo está completamente arruinado.

Los cristianos no pierden la esperanza, porque Dios nos ha dotado en su Palabra de verdad con una comprensión del mal. Tenemos las categorías de la verdad necesarias para responder con amor, justicia y esperanza. Sabemos que el mundo está caído, por lo que no nos sorprenden las millones de personas que sufren grandes injusticias. "Si observas en una provincia la opresión de los pobres y la privación del derecho y la justicia, no te asombres por ello. Porque al alto lo vigila uno más alto, y hay alguien aún más alto que ellos" (Eclesiastés 5:8).

Rechazamos la visión utópica del mejoramiento gradual de la humanidad. No creemos que nuestros esfuerzos erradiquen toda la injusticia para dar lugar al inicio de la paz mundial. Gary Haugen escribe: "No estamos atrapados en un sueño similar a un optimista perpetuo de traer el cielo a la tierra y abolir la injusticia. Por el contrario, sabemos que un océano de opresión golpeará a la humanidad hasta que aquel que incluso los vientos y el mar le obedecen mande que cese la tormenta" (Mateo 8:27).[4]

También sabemos, como dice Haugen, que "la batalla contra la opresión está firme o cae en el campo de batalla de la esperanza".[5] Nuestra gran esperanza es que el Evangelio mantiene la garantía de un futuro mejor en Cristo. El reino de Dios ha llegado y será consumado cuando regrese el rey Jesús. Creemos que la buena noticia de que todas las cosas serán reconciliadas bajo Cristo, toda lágrima será enjugada de nuestros ojos, todo dolor, sufrimiento e injusticia terminarán, y por lo tanto tenemos una poderosa esperanza.

El pánico de la teología socavada

El compromiso cultural cristiano no siempre ha difundido el aroma de la esperanza. Con excesiva frecuencia, nuestro tono ha sido alarmista, apocalíptico y áspero.

Un portavoz de la justicia religiosa una vez hizo una terrible declaración no correcta completamente y afirmó que lo que la América liberal está haciendo ahora a los cristianos evangélicos es como lo que la Alemania nazi hizo a los judíos. Por el otro lado del espectro político, los cristianos con una agenda social más liberal generalmente no son mejores, a menudo operan con una esperanza fuera de lugar en la capacidad de la humanidad para crear un mundo justo y equitativo, aparte de Cristo y su regreso. El resultado es un tono de indignación por ambos lados.

Este pánico y la histeria no sólo son malos para la política, es una representación débil de la fe cristiana. El pánico cultural es el resultado de una teología socavada del reino de Dios. Fácilmente perdemos de vista el reino venidero, y cuando eso sucede, cambiamos nuestra esperanza futura por el ídolo del poder político.

Tal como lo ha hecho el pueblo de Dios a lo largo de la historia, muchos cristianos hoy en día tienden a confiar en el poder, el poderío militar y en posicionar a los funcionarios públicos "correctos". Esto da lugar a tonos temerosos y alarmistas, el vilipendio de los oponentes políticos y el gozo débil que sube y baja dependiendo de si nuestro candidato gana o no.

Hay una manera mejor. Mi confianza no está en el presidente. Mi confianza no está en la economía. Mi confianza no está en la dirección moral de nuestra cultura. "Estos confían en carros, y aquellos en caballos; pero nosotros confiamos en el nombre del SEÑOR nuestro Dios. Ellos se doblegan y caen, pero nosotros nos levantamos y estamos firmes" (Salmos 20:7–8, RVC).

Nuestra capacidad de honrar a Cristo como creyentes nunca depende de nuestra posesión del poder político. Por cierto, a veces la forma en que respondemos cuando no obtenemos lo que esperábamos políticamente es nuestro testimonio más poderoso ante el público. Cuanto más oscuros son los días, más fuerte brillará nuestra esperanza. Cuanto mayor sea la ansiedad de nuestro mundo, más poderoso será nuestro testimonio de Cristo.

Carl Henry una vez notó: "La iglesia primitiva no dijo: '¡Mira en lo que el mundo se está convirtiendo! Ellos dijeron: '¡Mira lo que ha llegado al mundo!'"[6]

Recuerdo haber leído sobre *Chicken Little* [Pollito Tito] en casa de mi abuela. Pollito Tito es una vieja historia popular sobre los peligros del pánico y el valor del coraje. La historia se centra en un pollito que piensa que el mundo está llegando a su fin cuando una bellota cae sobre su cabeza. El pollito corre por ahí diciéndoles a todos sus amigos que el cielo está cayendo, causando en todos la histeria masiva. El pollito decide ir junto al rey para informarle que el cielo está cayendo. Al final, todos los animales que creen y siguen al pollito son comidos por un zorro.

Los cristianos nunca deben adoptar un enfoque de Pollito Tito para el compromiso cultural. Kevin DeYoung dice: "El cielo no está cayendo, y no caerá hasta que Jesús descienda de él primero".[7]

Hacemos bien en recordar siempre que la *esperanza tiene un tono*. Un tono de susto y temeroso es inconsistente con la esperanza que profesamos. Nuestra esperanza no está en esta vida. Hemos puesto nuestra esperanza completamente en la gracia que viene con la revelación de Jesucristo (1 Pedro 1:13). Poner nuestra esperanza completamente en ese reino celestial cambia la forma en que nos relacionamos con el reino de este mundo.

No estoy abogando por la pasividad. Estoy abogando por una dosis saludable de la soberanía de Dios sobre la historia humana, que llena nuestro compromiso social de confianza, esperanza y gozo inquebrantables.

Russell Moore es ejemplo de esta esperanza en su vida y testimonio, y la expresa poderosamente en su libro *Adelante: Siendo parte de la cultura sin perder el Evangelio:*

> El avance del reino se puso en marcha por la salida del Galileo de la tumba. Entonces deberíamos ser las últimas personas en la tierra en apartarnos con miedo o apatía. Y también deberíamos ser las últimas personas en la tierra en aplaudir a cualquier líder político o movimiento como si esto fuera lo que hemos estado esperando. Necesitamos líderes y aliados, pero no necesitamos un Mesías. Ese trabajo ya está ocupado, y él se siente bien. No estamos entusiasmados irracionalmente, ni aislados temerosamente. Reconocemos que desde el Gólgota hasta el Armagedón, habrá tumulto en nuestras culturas, en nuestras comunidades y en nuestra propia mente. Nos quejamos de esto, y procuramos impedir las consecuencias de la maldición. Pero no nos desesperamos, como ocurre con aquellos que son los perdedores de la historia. Somos los futuros reyes y reinas del universo.[8]

El Evangelio nos da una nueva forma de ver el mundo. Dios nos empodera en Cristo para que participemos en la cultura con el entusiasmo y la perseverancia que da la esperanza. La certeza de la victoria de Dios es nuestra paz.

La justicia se cumplirá

Andrew Peterson escribió una hermosa serie de libros llamada *The Wingfeather Saga* [La aventura de Wingfeather] Uno de los personajes, un niño llamado Janner Wingfeather, se encuentra cautivo en un lugar oscuro y terrible llamado la Fábrica de Rastrillos, donde muchos niños raptados fueron cautivos y utilizados para fabricar armas y otros objetos. Muchos de los niños habían pasado años allí en la oscuridad y la miseria. Los niños fueron tratados con crueldad. Eran conocidos como las "herramientas" y no se usaban sus nombres. Ellos nunca miraban los ojos de los otros; lucían abatidos y habían perdido toda esperanza.

La serie cuenta la historia de esos niños que finalmente fueron liberados. El malvado supervisor que dirige la fábrica es derrotado y los niños son llevados seguros de la oscuridad hacia la luz del sol. "Los niños levantaron las manos hacia la luz como si fuera la primera vez que lo vieron. Sin embargo, el momento de asombro fue interrumpido rápidamente por gritos de alegría y celebración. Los niños de la fábrica de rastrillos bailaron y corrieron y se revolcaron por el suelo. Encontraron agua en una canaleta conectada a la pared y se lavaron la cara, limpiándose el hollín y por primera ver pudieron mirarse los unos a los otros".[9]

Podemos ser como estos niños y olvidar que la luz del sol espera. La injusticia que domina la tierra no durará para siempre. Dios ha prometido que gracias a Cristo, toda injusticia terminará un día.

Puede haber momentos en este mundo en los que, como Israel, cansamos a Dios con nuestras quejas y decimos: "¿Dónde está el Dios de la justicia?" (Malaquías 2:17, RVC). Pero la cruz de Cristo, el reino de Dios y el amor de nuestro Padre hablan una palabra mejor. No perderemos la esperanza, porque sabemos que la victoria pertenece al Señor. Su reino será establecido completamente y eternamente.

Isaías 9 dice que el Salvador prometido traería un nuevo gobierno sobre el cual reinaría como Príncipe de Paz. "Lo dilatado de su dominio y la paz no tendrán fin sobre el trono de David y sobre su reino, para afirmarlo y fortalecerlo con derecho y con justicia, desde ahora y para siempre. El celo del SEÑOR de los Ejércitos hará esto" (9:7).

Venga tu reino

El reino de Dios alude al gobierno soberano y al reinado de Cristo. Su reino es presente y futuro. Ya es *ambos* y *aún no*. Ya hemos entrado en el reino, pero un día el reino vendrá completamente y traerá todas las bendiciones del reinado de Dios a toda la tierra. Entonces Habacuc 2:14 se cumplirá: "Porque la tierra estará llena del conocimiento de la gloria del SEÑOR, como las aguas cubren el mar". Nuestra esperanza no está puesta en esta era presente, porque sabemos que la perfección y la plenitud del reino sólo llegarán en la era venidera, cuando Cristo regrese. No estamos desilusionados ni desanimados, porque nunca esperábamos el cumplimiento del reino en esta era maligna actual.

La esperanza del Reino no pone fin al lamento, sino que impulsa al lamento a una acción llena de esperanza. Los cristianos son parte de la gran resistencia. Sabemos que el mundo no es como debe ser, y por eso oramos, nos lamentamos, creamos belleza, hacemos el bien y cuidamos a los necesitados como actos de protesta llenos de esperanza, dando testimonio de un reino que sin duda vendrá.

La enseñanza bíblica no es que dejamos este mundo por otro, sino que una época da paso a otra. Oramos, "Venga tu reino" (Mateo 6:10), y esa oración será contestada cuando Cristo, nuestro Rey, regrese en gloria. Cada vez que oramos para que venga el reino de Dios, pedimos, nos demos cuenta o no, por el futuro de la justicia, la ética, el gobierno y la cultura. Cuando el reino de Dios venga plenamente, será el fin de toda injusticia, inmoralidad, comportamiento poco ético, gobiernos corruptos y egoístas, y los aspectos incongruentes de la cultura.

Dios no ha olvidado las injusticias del mundo. Él observa, le importa, y actuará. Dios está decidido a poner fin a todo mal. Y su compromiso ferviente con la justicia es la base de nuestra inquebrantable esperanza.

En 2 Tesalonicenses 1:6–9 dice que Dios considera justo retribuir con aflicción a los que nos afligen, y cuando Cristo regrese, dará retribución a aquellos que rechacen el Evangelio. "Ellos serán castigados con eterna perdición, excluidos de la presencia del Señor y de la gloria de su poder" (v. 9, RVC).

La realidad del juicio eterno de un Dios santo no disminuirá nuestro gozo eterno. Aun cuando Dios juzgue a los pecadores persistentes, se manifestará su justicia, se probará su fidelidad y su nombre será glorificado. De alguna manera misteriosa que no podemos comprender plenamente en esta vida, los juicios justos de Dios profundizarán eternamente nuestro gozo en él.

El regreso de Cristo será una manifestación pública de su gloria y una celebración del cumplimiento de su gobierno. Cristo regresará sobre un caballo blanco, lleno de poder, y la justicia se cumplirá. El Señor juzgará a los que perpetúan la opresión, y la justicia se cumplirá. El Dios de paz aplastará a Satanás bajo sus pies, y la justicia se cumplirá. Las criaturas cautivas levantarán las manos hacia la luz, bailarán y correrán, y la justicia se cumplirá. El reino de Dios vendrá, y la justicia se cumplirá.

Cómo será el mundo

Los cristianos saben que la historia tiene un destino, no es una serie de eventos casuales, sino que tiene una meta destinada por Dios. Charles Spurgeon dice: "Los acontecimientos de la historia marchan como una legión victoriosa bajo un líder hábil".[10] ¿Cómo será el mundo algún día?

Un mundo de amor. En la actualidad, incluso la iglesia de Cristo no ama como debería. Esto es cierto de nuestro amor a Dios y de nuestro amor el uno por el otro. Pero en la era venidera, claramente comprenderemos el amor de Cristo por nosotros, y esto creará un gozo de Cristo y de los demás que no se compara con nada de todo lo que hemos conocido. El odio, las luchas, la impaciencia, la irritabilidad y la violencia ya no serán más, y moraremos juntos en un mundo de amor perfecto.

Un mundo de paz. Un día las guerras, el racismo y el conflicto terminarán. John Perkins dijo que uno de los objetivos del Evangelio es derribar las barreras raciales y sociales. "Sólo el poder de la crucifixión de Cristo en la cruz y la gloria de su resurrección pueden sanar las heridas raciales profundas en las personas blancas y afroamericanas en Estados Unidos".[11] Llegará el día en que las personas de toda etnia morarán en perfecta paz, y toda herida racial será sanada por el poder del Evangelio.

Un mundo de justicia. Habrá equidad para aquellos que han conocido la pobreza, la marginación y la opresión. Los que lloran serán consolados y los mansos heredarán la tierra (Mateo 5:4–5).

El novelista ruso Fiódor Dostoievski en *Los hermanos Karamázov*, dice:

> Creo como un niño que el sufrimiento acabará y será compensado, que toda la humillación absurda de las contradicciones humanas desaparecerá como un espejismo lamentable.

> Al final del mundo, en el momento de la armonía eterna, algo tan precioso sucederá que será suficiente. Calmará todos los resentimientos. Expiará todos los crímenes, por toda la sangre que se ha derramado, que hará no sólo posible perdonar sino justificar todo lo que sucede.[12]

Un mundo de belleza. Todo lo que es feo y vil pasará, y el mundo estará lleno de placer, creatividad, atracción y arte que honran a Dios.

Un mundo de abundancia. El profeta Isaías dice que este nuevo mundo será rico y abundante: "Entonces, cuando siembres la tierra, él dará lluvia a tu sembrado. El alimento que produzca la tierra será sustancioso y abundante. En aquel día tus ganados serán apacentados en amplias praderas. ... Y... habrá arroyos, corrientes de agua, sobre todo monte alto y sobre toda colina elevada" (30:23–25).

Un mundo de seguridad. Isaías 11:6–9 dice que los animales depredadores serán cambiados, ya no podrán dañar a otros animales ni a nosotros.

> Entonces el lobo habitará con el cordero, y el leopardo se recostará con el cabrito. El ternero y el cachorro del león crecerán juntos, y un niño pequeño los conducirá. La vaca y la osa pacerán, y sus crías se recostarán juntas. El león comerá paja como el buey. Un niño de pecho jugará sobre el agujero de la cobra, y el recién destetado extenderá su mano sobre el escondrijo de la víbora. No harán daño ni destruirán en todo mi santo monte, porque la tierra estará llena del conocimiento del Señor, como las aguas cubren el mar.

Un mundo saludable. No habrá necesidad de médicos ni enfermeras, ni hospitales, ni quimioterapia, ni tiras adhesivas, ni medicinas de ningún tipo. Ya no habrá más enfermedades ni dolencias.

Un mundo de alabanza. La depresión, la tristeza y la incredulidad desaparecerán. Doblaremos rodillas ante el Cordero inmolado de Dios, y ahora resucitado, y maravillados lo adoraremos y declararemos que es digno de alabanza eterna. Nos uniremos a todas las criaturas vivientes, a los ancianos y a la gran multitud de ángeles en el cielo, alzando nuestras voces con gritos de júbilo: "Al que está sentado en el trono y al Cordero sean la bendición y la honra y la gloria y el poder por los siglos de los siglos" (Apocalipsis 5:13, RVC).

Hasta ese día, nuestro Dios es una fortaleza, una torre de refugio y fuerza. ¿Aunque se derrumbe toda la tierra? Proclamamos con el salmista en el Salmo 46 que no temeremos. Aunque las naciones se conmocionan. Aunque los reinos se tambalean. Aunque las economías colapsen. Aunque las aguas rujan y echen espuma y se estremezcan los montes.

Nuestro gozo no será quitado, y nuestra esperanza no será sacudida. En el lenguaje del Salmo 46, nuestro Dios hace cesar las guerras hasta los confines de la tierra. Él quiebra el arco y rompe la lanza. Quema los carros en el fuego. Pelea por nosotros. Lucha por la justicia. Ha determinado, con toda su santa vehemencia, que será exaltado en la tierra.

El estudio de la historia demuestra que nuestros tiempos no son exclusivamente malos. La doctrina de la soberanía de Dios demuestra que nuestros esfuerzos no son indispensables para Dios. Las buenas nuevas del evangelio demuestran que todas las cosas que más nos importan no son inciertas. El reino de Dios demuestra que la voluntad de Dios se hará en la tierra como se hace en el cielo, cuando el cielo y la tierra se conviertan en uno.

El poder de Dios es nuestra paz. Su gobierno es nuestro gozo. Su ayuda es nuestra esperanza. Su justicia es nuestro gozo.

¡Cristo ha muerto! ¡Cristo ha resucitado! ¡Cristo vendrá otra vez!

Preguntas para la reflexión

1. ¿Por qué el compromiso social cristiano debe estar lleno de confianza y esperanza?
2. Dedica tiempo a reflexionar (o discutir con amigos) cómo será el mundo algún día. ¿Qué aspecto del reino futuro de Dios es especialmente alentador para ti?

10

La vejez y la belleza

Dios es fiel para cuidar de sus santos en la vejez

Deseo que todos en el mundo pudieran haber conocido a los padres de mi madre. Ellos son Papo y Nana para mí. Mi Papo sigue vivo, pero Nana falleció mientras yo escribía este libro. Observar sus vidas sería más bueno que leer este capítulo o cualquier otro capítulo sobre el envejecimiento.

Hace unos veranos, tuvimos un picnic familiar. La mente de Nana no era lo que había sido debido a su creciente demencia. Las cosas se volvieron tan difíciles que ella no recordaba mi nombre o el hecho de que tengo hijos. Pero ella no había olvidado el nombre de su Salvador, ni había olvidado los himnos que se pasó cantando toda su vida.

En ese picnic de verano, mi Papo y Nana cantaron algunos himnos para el resto de nosotros. Uno de esos himnos fue "¿Le importará a Jesús?" Mi querida Nana cantó con una sonrisa:

¿Le importará a Jesús que esté doliente mi corazón?
Si ando en senda oscura de aflicción, puede darme consolación.
Le importa sí, su corazón comparte ya mi dolor.
Sí mis días tristes y mis noches negras le importan al Señor.
¿Le importará cuando diga adiós al amigo más caro y fiel?
Y mi corazón lleno de aflicción haya apurar la hiel.
Le importa sí, su corazón comparte ya mi dolor.
Sí mis días tristes, mis noches negras le importan al Señor.[1]

Fortalecidos con una visión del cuidado del Salvador por nosotros, tenemos el poder de enfrentar la vejez con confianza.

Cuando mi vigor disminuya

¿Qué consuelo y esperanza da Dios a aquellos que temen la disminución del bienestar físico, emocional, mental o espiritual? ¿Cómo podemos envejecer sin amargura, terquedad, autocompasión y desesperación?

Cicerón escribió una famosa pieza de la literatura de sabiduría llamada *El arte de envejecer.* Una de sus observaciones es que todos queremos vivir hasta llegar a la vejez, pero luego tendemos a quejarnos cuando llega. Envejecer es preferible a morir joven, pero envejecer no es fácil.

Eclesiastés 12:1–5 da una descripción poética de nuestro cuerpo cuando envejece. ¿Qué sucede cuando los días de nuestra juventud se hayan ido? Estaremos encorvados debido a la vejez. La fuerza fallará, los dientes caerán, la visión disminuirá.

En 2 Corintios 4:16–18, Pablo dice que no desmayamos a pesar de que nuestro hombre exterior se va desgastando. Desgastando significa que nuestra salud se deteriora, nos despertamos doloridos, tenemos más caries, estamos cubiertos de arrugas, nuestros cuerpos se debilitan y crujen. Sin embargo, ante este desgaste exterior, no desmayamos. ¿La razón? El hombre, "el interior se va renovando de día en día". Y "nuestra momentánea y leve tribulación produce para nosotros un eterno peso de gloria más que incomparable". En medio de la aflicción física, consideramos estas dificultades como transitorias y esperamos un futuro eterno e invisible.

En el Salmo 71, un hombre reflexiona en su vejez. El versículo 9 dice: "No me deseches en el tiempo de la vejez; no me desampares cuando mi fuerza se acabe". Este es el miedo que podemos experimentar cuando pensamos en envejecer. ¿Y si me quedo solo? ¿Y si nadie me ayuda en mi debilidad? El versículo 18 dice: "Aun en la vejez y en las canas no me desampares". Lo sorprendente del Salmo 71 es que nos encontramos con un hombre que se enfrenta al envejecimiento, pero su vida no está marcada por la amargura, la apatía, la ira, la ansiedad y la queja. Más bien, su vida está marcada por una entereza de gozo:

- En mi vejez, habrá una gratitud abrumadora por la gracia pasada. El salmista recuerda que ha sido sustentado por Dios desde el vientre hasta su nacimiento (v. 6). Dios ha sido su esperanza y su confianza desde su juventud (v. 5), y ha sido fiel desde entonces. "Oh Dios, tú me has enseñado desde mi juventud; hasta ahora he manifestado tus maravillas" (v. 17, RVC).
- En mi vejez, habrá alabanzas llenas de gozo por la gracia presente. "Tú eres mi roca y mi fortaleza" (v. 3); "Siempre será tuya mi alabanza" (v. 6). "Esté llena mi boca de tu alabanza, de tu gloria todo el día" (v. 8).
- En mi vejez, habrá esperanza viva en la gracia futura. En el versículo 14 leemos la determinación del salmista: "Pero yo siempre esperaré; te alabaré más y más". En la vejez proclamaremos el poder de Dios a otra

> generación, y hablaremos de su poderío a todos los que han de venir (v. 18).

Puede que nuestra fuerza se desgaste, pero el poderío de nuestro Dios omnipotente nunca se desgastará. En su poder, los débiles son espiritualmente fuertes. Ante su trono de gracia, hay misericordia y socorro en tiempo de necesidad. A través de los cambios y las tormentas de la vida, el Señor es nuestro refugio eterno.

Deuteronomio 33:25–27 da una gran promesa: "De hierro y bronce sean tus cerrojos, y tu fuerza sea como tus días. ¡No hay como el Dios de Jesurún! Él cabalga sobre los cielos en tu ayuda, y sobre las nubes en su majestad. El eterno Dios es tu refugio, y abajo están los brazos eternos".

Mis días no superarán mi fuerza. Mi fuerza física puede fallar, pero Dios acrecienta las fuerzas del débil. Él renovará la fuerza de mi alma, permitiéndome volar como las águilas (Isaías 40:31).

Por lo tanto, no tendré temor. No temeré ningún mal. La esperanza será mi canción a medida que envejezca. La decadencia, la pérdida y las limitaciones sólo harán que mi esperanza cante más fuerte y me impulse a fijar mis ojos en el futuro brillante que Cristo tiene para mí. Las únicas cosas que puedo perder son cosas que no merecía tenerlas en primer lugar. Un día ganaré más de lo que pueda perder en esta vida. Y Dios me dará poder con su Espíritu para bendecir su nombre cuando llegue la pérdida.

¿Qué dirás cuando tu fuerza comience a fallar? En su popular canción, "10 mil razones", Matt Redman canta de llegar al final de su vida, cuando la fuerza se ha ido y el día de su partida de este mundo está cerca. Él determina que ese día, todavía seguirá cantando las alabanzas de Dios. El salmista dice: "Todos los días te bendeciré; por siempre alabaré tu nombre" (Salmos 145:2 NVI).

Envejeciendo con gozo

Mucha gente teme envejecer. Y ciertamente la vejez trae desafíos y penas únicas. La debilidad física y los desafíos de salud nos recuerdan de que nos estamos acercando a la muerte y que este mundo no es como se supone que debe ser.

Pero el énfasis de la Escritura no recae en las penas del envejecimiento, sino en sus alegrías. Para el cristiano, la vejez tiene que ver más con la esperanza que con el miedo, más con el honor que con la deshonra, más con la santidad que con la decadencia, más con la vida que con la muerte, más sobre el cielo que con la tierra. Estas son las razones por las que envejecemos con confianza:

- Tenemos la esperanza firme de que nuestros cuerpos resucitarán.
- Sabemos el gran honor que Dios concede a la vejez.
- Experimentamos el aumento de la santidad que Dios está obrando en nosotros.
- Hemos probado la vida eterna que es nuestra en Cristo.
- Anhelamos más del cielo que se está acercando.

Vivimos en una sociedad que idolatra a los jóvenes y se resiste al envejecimiento. Pero la Biblia tiene una perspectiva muy diferente. Las señales del envejecimiento son señales de vida. Son pruebas visibles del trabajo arduo, la actividad valiosa y las memorias que hacemos. Cada arruga, cada vena visible, cada cana es una señal de honor.

Proverbios 16:31 asocia la vejez con la gloria y la divinidad: "Las canas son una honrosa corona que se obtiene en el camino de la justicia".

¿Alguna vez has notado que las personas ancianas a menudo tienen una belleza y gracia distintas? Es una belleza mucho más probada, sagrada e impresionante que la belleza de la juventud. No es necesario tratar de parecer veinte años más joven de lo que se tiene.

Cuando la Biblia dice que alguien es "viejo y lleno de años" (como dice de Job cuando murió), significa más que "estar vivo mucho tiempo". *Lleno de años* significa lleno del favor y la bendición de Dios.

Mike Mason describe la belleza de los santos ancianos en términos alentadores:

> Incluso sus cuerpos físicos parecen tener un aura de santidad… Se puede ver a Dios en las líneas de estos rostros, en las arrugas del cuello, en las bolsas alrededor de los ojos y en las manos pecosas. Estas personas siguen siendo pecadoras como todos los demás, y sin embargo, casi se puede ver el pecado alejándose de ellas. El mal ya no les asusta; lo comen como desayuno. La muerte no les causa terror; ellas corren rápidamente hacia la muerte como jóvenes olímpicos…
>
> Estas personas son como gánsteres antiguos e inimaginablemente peligrosos, como los padrinos de la mafia. Hace mucho tiempo colgaron sus armas, y ahora sus armas son de un orden completamente diferente; ahora te transfiguran sólo con sus ojos y su voz ronca… . Su fe los ha hecho intocables. La sangre de Cristo los ha hecho incorruptibles. Aun cuando yacen en sus camas respirando por última vez, el inmenso poder de la resurrección casi salta de sus bocas.[2]

Por la gracia de Dios, esta es la clase de persona anciana que serás.

Procura tener una visión de cómo será el florecimiento cuando tu salud física comience a fallar y tu salud mental disminuya. Desarrolla fuertes convicciones de que la debilidad física y el envejecimiento no alterarán la esencia de quién eres y de qué se trata realmente tu vida. Agradece a Dios por cada aliento inmerecido. Anticipa la cosecha de la justicia.

Es cierto que la vejez a menudo agrava los pecados que no han sido eliminados. Pero la vejez también multiplica el fruto que se ha cultivado. Y Dios promete que "Aun en su vejez, darán fruto" (Salmos 92:14 NVI).

La razón por la que podemos tener tanta confianza es porque Dios no nos abandonará. El pasaje de las Escrituras que mi esposa y yo elegimos para leer el día de nuestra boda fue Isaías 46:3–4:

> Escúchenme, oh casa de Jacob y todo el remanente de Israel, los que son cargados por mí desde el vientre y llevados desde la matriz. Hasta su vejez yo seré el mismo, y hasta las canas yo los sostendré. Yo lo he hecho así, y los seguiré llevando. Yo los sostendré y los libraré.

Cuando mi salud comience a fallar, Dios no me fallará. El que me ha sustentado desde el vientre me sustentará a través de todo lo que la vejez pueda traer.

Nada hay muy difícil que una buena resurrección no pueda sanar

Hay una tendencia entre algunos cristianos a devaluar la importancia del cuerpo, denigrar lo físico y elevar lo espiritual. Pero el Evangelio tiene una perspectiva mejor.

Dios nos ha hecho para ocuparnos por la fuerza y la belleza de nuestros cuerpos. La lección del envejecimiento y la debilidad no es que un cuerpo fuerte y saludable no importe o que lo físico no sea importante. Algunos cristianos se sorprenden al saber que el Evangelio es una buena noticia para nuestro cuerpo.

Salmo 103:3 dice que uno de los muchos beneficios del Señor es que sana todas nuestras enfermedades. Todas las enfermedades desaparecerán un día. En Mateo 8:17, después de que Jesús sana a la suegra de Pedro y a muchas otras personas, dice: "de modo que se cumpliera lo dicho por medio del profeta Isaías, quien dijo: 'Él mismo tomó nuestras debilidades y cargó con nuestras enfermedades'". Jesús no sólo llevó nuestra culpa y vergüenza, sino que llevó nuestras dolencias y enfermedades.

Esta sanidad, adquirida para nosotros a través de la obra de Cristo, no se experimenta en su totalidad sino hasta que Cristo regresa y nuestros cuerpos son resucitados. Pero esta sanidad es una parte esencial del mensaje de salvación.

El Evangelio trae la buena noticia de lo que Cristo en su cuerpo humano ha hecho para asegurar la resurrección, la sanidad y la vida eterna para nuestro cuerpo. El Evangelio es la historia de Dios encarnado, que hace algo para la salvación completa de la persona.

En esta vida, nuestros cuerpos son débiles y destruidos de muchas maneras. Conocemos la discapacidad, la fragilidad, los defectos genéticos, la enfermedad y las dolencias. Cristo vino traer al mundo paz para salvar al pecador.

¿Está tu cuerpo comenzando ahora a fallar? ¿Temes que las cosas empeoren? Mira más allá de la vejez, más allá de la tumba, al regreso de Cristo y al futuro de tu cuerpo. D. A. Carson dice: "No estoy sufriendo de nada que una buena resurrección no pueda sanar".[3]

Imagina un cuerpo como tu cuerpo ahora, sin deficiencias de salud, sin enfermedad, sin dolencias, sin defectos, sin fragilidad, sin cojera, sin dolor, sin alergias, sin impedimentos físicos o mentales. Imagina un cuerpo que sea reconocible como el tuyo, pero más glorioso de lo que puedas imaginar.

Filipenses 3:20–21 dice: "Porque nuestra ciudadanía está en los cielos, de donde también esperamos ardientemente al Salvador, el Señor Jesucristo. Él transformará nuestro cuerpo de humillación para que tenga la misma forma de su cuerpo de gloria, según la operación de su poder, para sujetar también a sí mismo todas las cosas" (cursivas añadidas). Un día, estos cuerpos humildes y sencillos serán como el cuerpo glorioso y resucitado de Jesucristo. Lo que está enfermo será sanado, lo que es débil será fuerte, lo corruptible será incorruptible.

En Romanos 8 se nos dice: "Y si el Espíritu de aquel que resucitó a Jesús de entre los muertos mora en ustedes, el que resucitó a Cristo de entre los muertos también les dará vida a sus cuerpos mortales mediante su Espíritu que mora en ustedes" (v. 11). El Espíritu de vida, que te dio el don de la vida física y luego hizo que volvieras a nacer a una nueva vida espiritual, aún no ha terminado con su obra vivificadora en ti. Dios, a través de su Espíritu, dará vida a tu cuerpo cuando Cristo regrese. Romanos 8:23–24 NVI, dice que esta transformación corporal es el gran triunfo del Evangelio y la esperanza de nuestra salvación: "Y no solo ella, sino también nosotros mismos, que tenemos las primicias del Espíritu, gemimos interiormente, mientras aguardamos nuestra adopción como hijos, es decir, la redención de nuestro cuerpo. Porque en esa esperanza fuimos salvados".

En 1 Corintios 15 es el capítulo de toda la Escritura que más a fondo defiende, celebra y describe esta resurrección del cuerpo. Cristo ha resucitado de entre los muertos, según las Escrituras (v. 4), y es "como primicias de los que murieron" (v. 20).

> Fíjense bien en el misterio que les voy a revelar: No todos moriremos, pero todos seremos transformados, en un instante, en un abrir y cerrar de ojos, al toque final de la trompeta. Pues sonará la trompeta y los muertos resucitarán con un cuerpo incorruptible, y nosotros seremos transformados. Porque lo corruptible tiene que revestirse de lo

> incorruptible, y lo mortal, de inmortalidad
> (1 Corintios 15:51-53 NVI).

El poeta Gerard Manley Hopkins compara nuestra morada espiritual en cuerpos mortales con un el ave alondra en una jaula oscura.[4] En estos cuerpos conocemos el trabajo pesado, la fatiga, y el envejecimiento. Teniendo en cuenta el ave alondra y el alma humana, Hopkins dice,

> Ambos cantan a veces los encantos dulces, muy dulces,
> sin embargo, a veces ambos caen muertos en sus celdas
> o derriban sus barreras en ráfagas de miedo o rabia.

Sin embargo, no es como si el ave alondra y el espíritu no necesiten de un hogar. Para el ave alondra, su lugar de descanso se encuentra cuando vuela a su nido, no cuando está encarcelado en una jaula. Del mismo modo, la gran esperanza del Evangelio no es la libertad de nuestro cuerpo, sino la resurrección de la carne y la inmortalidad del cuerpo.

> El espíritu del hombre estará ligado a la carne en todo su esplendor, pero no atrapado: el rocío del campo no se angustia porque el arco iris tiene sus pies sobre él, ni el hombre por tener sus huesos resucitados.

¡Huesos resucitados! El renacimiento de nuestros huesos es nuestra esperanza y nuestro destino. Hopkins dice que nuestro espíritu no se angustiará por estar en un cuerpo resucitado y glorificado, como tampoco las flores del prado están angustiadas por tener un arco iris que descansa sobre ellas. Este es el futuro que todo santo envejecido en Cristo espera con gozo.

Dios demostrará su amor fiel

Nada de esto significa que envejecer es fácil. Pero significa que no experimentaremos el dolor del envejecimiento como aquellos que no tienen esperanza.

Cuando visité a mi Papo el verano antes de que Nana muriera, me dijo que nunca supo que podía llorar tanto. Él dijo que lo más difícil era no poder comunicarse con Nana debido a la demencia de ella. No podían hacer juegos ni armar rompecabezas juntos como otras parejas de ancianos. Nos sentamos en un sofá y él me dijo, con lágrimas en los ojos, que esta no era la forma en que ellos esperaban o planearan que fueran esos años. Ese día él y yo hablamos mucho del cielo.

A través de las lágrimas leí el comienzo del capítulo 21 de Apocalipsis a mi Nana. Apenas pude terminar.

> Después vi un cielo nuevo y una tierra nueva, porque el primer cielo y la primera tierra habían dejado de existir, lo mismo que el mar. Vi además la ciudad santa, la nueva Jerusalén, que bajaba del cielo, procedente de Dios, preparada como una novia hermosamente vestida para su prometido. Oí una potente voz que provenía del trono y decía: «¡Aquí, entre los seres humanos, está la morada de Dios! Él acampará en medio de ellos, y ellos serán su pueblo; Dios mismo estará con ellos y será su Dios. Él les enjugará toda lágrima de los ojos. Ya no habrá muerte, ni llanto, ni lamento ni dolor, porque las primeras cosas han dejado de existir» (Ap 21:1-4, NVI).

Ese es nuestro futuro. Y hasta ese día, cada día de nuestra vida probará el amor fiel de Dios. Uno de mis himnos favoritos es "Qué firmes cimientos". Algunas versiones modernas cortan el verso en envejecer:

"Mi amor invariable, eterno y leal,
constante a mi pueblo mostrarle podré.
Si blancos cabellos ya cubren tu sien,
cual tierno cordero, cual tierno cordero,
cual tierno cordero yo os cuidaré."[5]

Supongo que puedo entender por qué a veces quitamos este verso. (Creo que tiene algo que ver con cantar sobre "las canas", que simplemente significa cabello que está envejeciendo y gris.) Pero amo la verdad de este verso, que en nuestra vejez probaremos la grandeza del amor fiel de Dios.

¿Qué es el envejecimiento para nosotros? El envejecimiento es la acumulación de más historias de la fidelidad de Dios. Es una muestra visible de la determinación de Dios de amar y cuidar de los suyos.

He visto santos envejecer en la familia de mi iglesia con gracia y pasar a la gloria. Lo vi en mi Nana. Por la gracia de Dios, la vejez para ti significará que conoces más de Cristo. Si estás casado, tu amor por tu cónyuge crecerá aún más dulce. Tu piedad será más profunda. Tu influencia se hará más amplia. Tu esperanza será más fuerte. La gloria del cielo estará más cerca.

¡Alabado sea Dios por su fidelidad para cuidar a su pueblo hasta la vejez!

Preguntas para la reflexión

1. Piensa en alguien que conozcas que haya envejecido de una manera que honre a Dios y sea un ejemplo para los demás. ¿Qué aprecias y respetas de esa persona?
2. ¿Cuáles son algunas de las alegrías del envejecimiento?

11

No es muerte el morir

Jesús es nuestro triunfador, quien nos da la victoria sobre la muerte

El tema del último libro de Harry Potter, *Harry Potter y las Reliquias de la Muerte*, se resume en una cita bíblica encontrada en la tumba de los padres de Harry, James y Lily Potter. Las palabras son tomadas de 1 Corintios 15:26, NVI: "El último enemigo que será destruido es la muerte".

El libro es una poderosa historia de resurrección. La única manera de que el malvado Voldemort sea derrotado y para que otros sean rescatados es que Harry (el Elegido) se sacrifique por amor, se enfrente a la muerte y reciba la maldición asesina. En la culminación del libro, Harry camina decididamente hacia su muerte mientras sus enemigos se burlan y lo repudian. Él no saca su varita; no pelea. Se entrega libremente.

Y es precisamente al entregarse hasta la muerte que Harry Potter triunfa y vence la muerte. La historia refleja (como muchas hacen) la verdad eterna que toda la humanidad anhela. La realidad de la muerte es inevitable: veremos morir a nuestros seres queridos, y nosotros mismos moriremos.

¿Cómo podemos enfrentar la muerte con confianza y paz? Al conocer al que quitó el aguijón de la muerte y derrotó a la muerte por nosotros. Jesús es la Resurrección y la Vida. Su resurrección asegura nuestra propia resurrección futura. Lloramos ante la muerte, pero no lloramos como aquellos que no tienen esperanza.

La llegada de Jesús a la tumba

En Juan 11, una gran multitud se ha reunido alrededor de la tumba de Lázaro. Ellos pensaron que venían a llorar su muerte, pero el propósito mayor de Dios de tenerlos allí era demostrar públicamente el poder de Jesús sobre la muerte.

Leemos dos veces que Jesús "se conmovió profundamente" al llegar a la tumba (vv. 33, 38). Esta no es la tristeza que sentimos cuando sabemos que no volveremos a ver a un amigo, ni es el dolor de la impotencia cuando sabemos que nada hay que podamos hacer sobre la situación. Jesús está profundamente conmovido, sí, pero aún más, está profundamente conmovido con indignación.

El Enemigo está haciendo su obra malvada de acabar con la vida, y Jesús está indignado. "¿La muerte en el mundo de quienes he creado? ¿La muerte se lleva a los que amo? La victoria no será de la muerte."

B.B. Warfield, al explicar las emociones de Cristo en este pasaje, dice: "Es la muerte el objeto de su ira, y tras la muerte él que tiene el poder sobre la muerte, y a quien ha venido al mundo para destruir… contra ella su alma indignada".[1]

Cualesquiera que sean los enemigos que puedas tener en este mundo, ninguno se compara con la muerte. Nada es más temeroso, más terrible, más feo. Nada trae más dolor, dolor y confusión a nuestras vidas. La muerte no era originalmente parte del mundo bueno que Dios hizo; la muerte entró en el mundo como resultado del pecado.

Jesús se acerca a la tumba de Lázaro y no ve a la muerte como algo normal. Lo ve como un intruso y un impostor, un enemigo que trae destrucción, separación y tristeza. Cuando se enfrenta a la muerte, Jesús arde con ira santa. Llega a la tumba como un hombre enojado que está a punto de tomar a la muerte por la yugular.

Juan Calvino dice que Cristo se acerca a la tumba de Lázaro "no… como un espectador inútil, sino como un campeón que se prepara para una lucha; y por lo tanto no tenemos que sorprendernos que él vuelve a gemir; porque la tiranía violenta de la muerte, que tuvo que conquistar, está ante sus ojos".[2]

Nadie en la multitud esperaba que pasara algo milagroso. Eran tan escépticos como tú o yo lo habríamos sido. Incluso Marta, después de haber hablado con Jesús, objeta a que se quite la piedra: "Señor, ya debe oler mal, pues lleva cuatro días allí" (v. 39 NVI). El cuerpo había comenzado a descomponerse. Aun así, Jesús actúa. Se quita la piedra, y el hedor de la muerte sale de la cueva oscura. La multitud se queda mirando, esperando, conteniendo la respiración en suspenso.

Inicialmente, no pasa nada. Todos miran a Jesús. Jesús se dirige a su Padre: "Padre, te doy gracias porque me has escuchado. Ya sabía yo que siempre me escuchas, pero lo dije por la gente que está aquí presente". Luego, gritó con todas sus fuerzas triunfalmente que podía ser escuchado por todos, dice: "¡Lázaro, sal fuera!".

Alguien dijo una vez que si Jesús no hubiera especificado a *Lázaro*, todas las tumbas de todo el mundo habrían quedado vacías en ese momento.

Desde el interior de la tumba de Lázaro, el aire empieza a correr a través de una tráquea, y los pulmones comienzan a expandirse y contraerse, un corazón comienza a latir, el oxígeno que sustenta la vida se propaga a través de un cuerpo una vez muerto.

Satanás retrocede.
Los demonios huyen en pánico.
Los ángeles se regocijan.
La vida vence a la muerte.

Para sorpresa de todos los presentes, Lázaro sale de la tumba caminando hacia la luz del sol, todavía envuelto con vendas. Él está vivo por el poder de Jesús, que ha mostrado su victoria sobre el pecado y la muerte.

La resurrección y la vida

Al resucitar a Lázaro, Jesús se enfrentaba a lo que la Biblia llama "el último enemigo", que es la muerte. Él está señalando a su propia resurrección que pronto tendría lugar, y está demostrando que él solo es el camino a la vida eterna.

Jesús vive para calmar nuestros corazones atribulados. Él se interesa por nuestras penas y comparte nuestro dolor. Él nos ama más de lo que sabemos, y ha tomado medidas para asegurarnos la esperanza de la resurrección.

Cuando Marta habló con Jesús acerca de la muerte de Lázaro, él respondió con palabras de consuelo y de esperanza más allá de la tumba llamando la atención sobre sí mismo.

> Entonces Jesús le dijo: "Yo soy la resurrección y la vida. El que cree en mí vivirá, aunque muera; y todo el que vive y cree en mí no morirá jamás. ¿Crees esto? Sí, Señor; yo creo que tú eres el Cristo, el Hijo de Dios, el que había de venir al mundo" (Juan 11:25-27).

Jesús quiere que sepamos que debido a su resurrección, la muerte no tiene la última palabra. Todo el que crea en él, quien cree en su muerte por los pecadores, y cree que él tomó el juicio y la muerte que merecemos, y cree que vive hoy, y crea en él, aunque muera físicamente, vivirá. Como dice Jesús: "Todo el que vive y cree en mí no morirá jamás".

Richard Baxter, en su libro clásico, *El descanso eterno de los santos*, dice: "La tumba que no podía retener a nuestro Señor no puede retenernos. Él resucitó por nosotros, y por el mismo poder nos hará resucitar... Nunca miremos a la tumba, sino miremos a la resurrección más allá de ella".[3]

Para los que están unidos a Cristo, no es muerte el morir. Cristo Jesús vino al mundo para destruir todo lo que podría destruirnos y derrotar cualquier cosa que nos alejara de su amor. Él es el campeón del cielo, quien nos da la victoria sobre la muerte. Él es la resurrección y la vida, y a través de nuestra unión con él nosotros también resucitaremos. La misma voz que se oyó en la tumba de Lázaro se oirá en nuestra tumba, para alabanza de su gloria.

¿Cómo lo sabemos? La muerte de Cristo marca para siempre la expiración de la muerte. Octavius Winslow dice:

> La muerte recibió una herida mortal cuando Cristo murió. Te enfrentas a un enemigo conquistado. Él permanece a tu lado como un rey sin corona, y agitando un cetro quebrado. Tu muerte será otra victoria sobre el último enemigo del creyente. Poniendo tu pie de fe sobre su cuello postrado, irás a la gloria, como más que un vencedor, a través de aquel que te amó.[4]

¿Dónde está, oh muerte, tu victoria?

En 1 Corintios 15, Dios dice que Jesús a través de su muerte y resurrección ha quitado el aguijón de la muerte. Es como si la muerte fuera una criatura o un insecto que ha perdido su capacidad para picar.

Mi esposa y yo fuimos a las Bahamas para celebrar nuestro décimo aniversario de boda. Mientras estábamos allí, me encontré con un escorpión en nuestra habitación. No era algo enorme, pero para el propósito de esta historia, en la que soy el héroe, imaginemos que era mucho más grande.

Cuando vi el escorpión por primera vez, estaba quieto. Yo no sabía si estaba vivo. Moví la alfombra sobre la que estaba, y la cola se levantó con un aguijón. Cogí un zapato y dije: "Meghan, retrocede".

No sabía lo difícil o lo rápido que sería matar, así que decidí arremeter en contra de ese escorpión. Diez golpes más tarde, Meghan, que estaba menos impresionada conmigo que yo, dijo: "Eso parece algo excesivo".

Eso es esencialmente lo que Jesús ha hecho con la muerte. Para aquellos que están en Cristo, Jesús ha vencido al enemigo y la muerte nunca volverá a levantar el aguijón.

> "¿Dónde está, oh muerte, tu victoria? ¿Dónde está, oh muerte, tu aguijón?» El aguijón de la muerte es el pecado, y el poder del pecado es la ley. ¡Pero gracias a Dios, que nos da la victoria por medio de nuestro Señor Jesucristo! (1 Corintios 15: 55-57).

En 2 Corintios 5 dice que nuestra existencia corporal en esta vida es como una tienda de campaña en la que suspiramos, "anhelando ser revestidos de nuestra morada celestial" (v. 2). En el presente estamos lejos del Señor, pero cuando morimos, estamos con él. "Preferiríamos ausentarnos de este cuerpo y vivir junto al Señor" (v. 8). Por esta razón, en la vida y en la muerte, "mantenemos siempre la confianza" (v. 6).

En Filipenses 1, Pablo declara con denuedo: "Porque para mí el vivir es Cristo y el morir es ganancia" (v. 21). Él ama la vida y el ministerio en este mundo, y sin embargo dice: "Deseo partir y estar con Cristo, que es muchísimo mejor" (v. 23).

En el momento de la muerte, se entra inmediatamente en una existencia de mayor gloria y gozo. No es necesario esperar hasta ser resucitado para conocer el gozo de la presencia de Dios, a pesar de que la resurrección del cuerpo al retorno de Cristo es nuestra esperanza final. Al morir, estaremos con Cristo, en el paraíso, y eso es ganancia.

El pastor y evangelista D. L. Moody una vez bromeó: "Algún día leerás en los periódicos que D. L. Moody, de East Northfield, está muerto. ¡No creas ni una palabra! En ese momento estaré más vivo que nunca".[5]

Bob Kauflin escribió una canción llamada: "No es muerte el morir".

No es muerte el morir,
Dejar el mundo atroz
Y con los santos ya vivir
En gloria junto a Dios.
No es muerte el cerrar
Los ojos por dolor
Y al despertar ver al Creador,
Quitando el temor.[6]

Salmo 116:15 dice: "Mucho valor tiene a los ojos del Señor la muerte de sus fieles". Y en Apocalipsis 14:13 NVI dice: "Dichosos los que de ahora en adelante mueren en el Señor".

Enfrentando la muerte con gozo

En el Antiguo Testamento, Job reflexiona sobre el hecho de que la muerte llega a todos nosotros. Nuestros días están determinados por Dios, él ha puesto límites que no puede rebasar (Job 14:5). Job exclama en su sufrimiento con una pregunta: "Si el hombre muere, ¿volverá a vivir?" (14:14, RVC). Jesús da una palabra mejor que los amigos de Job cuando declara: "Porque yo vivo, ustedes también vivirán" (Juan 14:19, RVC).

Todos los días nos acercamos más a la tumba. Como cristianos no nos asustamos de esa hora, sino que marchamos hacia ella como victoriosos y más que vencedores, sabiendo que la muerte ha perdido su aguijón y no puede separarnos del amor de Cristo. Porque Cristo vive, nosotros también viviremos.

Jesús es nuestro valiente precursor. Murió como un campeón. Él declaró: "consumado es", y luego se levantó triunfante en el tercer día. Sus seguidores se enfrentan a la muerte con coraje santo, sabiendo que la muerte ha sido derrotada.

- Al igual que Esteban, moriremos llenos del Espíritu Santo, con los ojos de fe contemplando la gloria del Señor, experimentando la gracia especial que Dios da a sus santos a la hora de morir (Hechos 7:54–60).
- Al igual que el apóstol Pablo, diremos con mucho valor que el tiempo de nuestra partida ha llegado, y vemos con beneplácito la línea de llegada para recibir la corona de justicia, el premio que Dios tiene para nosotros (2 Timoteo 4:6–8). "Yo estoy listo no sólo para ser atado, sino también a morir" (Hechos 21:13, RVC).
- Al igual que Simeón en el templo, declaramos que partiremos en paz (Lucas 2:29).

Si eres cristiano, ya has sido liberado del miedo a la muerte y al juicio mediante la obra terminada de Cristo. Hebreos 2:14–15 dice:

> Por tanto, ya que ellos son de carne y hueso, él también compartió esa naturaleza humana para anular, mediante la muerte, al que tiene el dominio de la muerte —es decir, al diablo—, y librar a todos los que por temor a la muerte estaban sometidos a esclavitud durante toda la vida.

La situación no es tanto que tenga que superar el miedo a la muerte, sino que necesito conocer a aquel, que a través de su muerte, venció el miedo a la muerte por mí.

Deberías aborrecer la muerte, pero no debes temerla. Deberías llorar por la muerte, pero no debes llorar como aquellos que no tienen esperanza. El Evangelio ha quitado el aguijón de la muerte, y ha hecho de la tumba espantosa un pasaje a la gloria y al gozo.

Pregunta y respuesta 42 del *Catecismo Heidelberg* recuerda a los creyentes la naturaleza de la muerte. Dice: "Nuestra muerte no es una satisfacción por nuestros pecados, sino una liberación del pecado y un paso hacia la vida eterna".[7] Es por eso que Juan Calvino podría decir: "Nadie ha progresado en la escuela de Cristo que no espera con gozo el día de la muerte y la resurrección final".[8] Charles Spurgeon dice: "Ustedes, creyentes en Cristo, esperen la muerte con gran gozo. Esperen como si fuera la primavera de tu vida, el tiempo en que llegará tu verdadero verano y tu invierno habrá terminado para siempre".[9]

Adiós oscuridad, bienvenida luz

El gran predicador Martyn Lloyd-Jones, estando en su lecho de muerte en su vejez, escribió una nota para su esposa y su familia inmediata en un pedazo de papel. Decía: "No ores por sanidad. No me retengas de la gloria".[10]

Cuando John Bradford estaba en prisión, dijo: "No tengo ninguna solicitud que hacer. Si la reina María me da mi vida, le daré las gracias; si ella me destierra, le daré las gracias; si manda que me quemen, le daré las gracias; si me condena a prisión perpetua, le daré las gracias".[11]

Cuando Bradford fue informado de su inminente muerte, la esposa del carcelero llegó corriendo a su cámara muy alarmado, diciéndole que al día siguiente sería quemado. ¿Su respuesta? "Señor, te doy las gracias. He esperado esto por mucho tiempo. No es terrible para mí. Dios, hazme digno de tal misericordia".[12]

En otras palabras, adelante.

John Bunyan, al final del libro 2 del *Progreso del Peregrino*, describe al grupo de peregrinos andrajosos que son llamados al hogar de la Ciudad Celestial. El Sr. Desánimo que había estado tan listo para detenerse y rendirse en cada momento del viaje, dijo con sus últimas palabras: "¡Bienvenida vida!" y lo logró. El señor Debilidad fue llamado a casa. Después el señor Desánimo recibió su carta desde la Ciudad Celestial, que decía: "¡hombre temeroso! Estás convocado a estar listo para reunirte con el Rey para el próximo Día del Señor, y a gritar de gozo por la liberación de todas tus dudas".

La hija del señor Desánimo fue nombrada Temerosa: ella había vivido toda su vida con temores de los cuales no podía liberarse. Ella también fue llamada al hogar de su herencia. Las últimas palabras del señor Desánimo fueron, "Adiós noche; bienvenida día". Su hija pasó por ese río cantando.

John Bunyan entonces habla de un Señor Honesto que también fue llamado al hogar. Él reunió a sus amigos y se despidió por un tiempo. "Las últimas palabras del señor Honesto fueron… '¡La gracia reina!' Así se fue del mundo".[13]

La gracia reina. No sabemos el tiempo y las circunstancias que rodean nuestra muerte, pero sabemos que son determinados por el Dios cuya gracia reina para siempre. Su gracia te dará paz al final, en tus momentos finales. Cuando llegue el momento de que abandonemos este mundo, la esperanza triunfará sobre el temor. Y en el momento de nuestra muerte, terminarán las penas terrenales y el gozo de la presencia de Cristo será nuestra.

Frente a la muerte, recurriremos a la palabra de verdad y seremos fuertes. El famoso predicador bautista, F.B. Meyer, en sus palabras de despedida, dijo: "Léame algo de la Biblia, algo valiente y triunfante".[14]

Si muero antes de mi esposa, Meghan, esto es lo que quiero: *Amor, por favor léeme algo valiente y triunfante.* Tal vez 1 Corintios 15, Juan 11, Juan 17, Romanos 8, Salmos 23, Salmos 27 o Apocalipsis 21. Todo lo anterior, si hay tiempo.

Y si Meghan muere primero, y si hay la oportunidad, sé que le leeré algo valiente y triunfante. Y sé que yo debo oírlo tanto como ella.

Detesto la muerte, pero estoy listo para enfrentarla. Creo que fui hecho para otro mundo, un mundo nuevo. Creo que en Cristo el aguijón de la muerte ha sido eliminado. Creo que el día de mi muerte será mejor que el día de mi nacimiento. Cuando me preparas a morir, me preparas a vivir. Mi muerte no será una tragedia, y me niego a llorar como aquellos que no tienen esperanza. Mi Dios ha vencido la muerte.

> Devorará a la muerte para siempre; el Señor omnipotente enjugará las lágrimas de todo rostro, y quitará de toda la tierra el oprobio de su pueblo. El Señor mismo lo ha dicho (Isaías 25:8).

Preguntas para la reflexión

1. ¿Cuáles son algunas de las verdades importantes que la Biblia enseña acerca de la muerte?
2. ¿Qué razones tienen los cristianos para esperar la muerte?

12

Optimistas eternos

El verdadero valor viene de conocer el final de la historia

¿Alguna vez has visto el quebrantamiento de la vida en este mundo y te has preguntado qué tipo de final tendrá la historia? ¿Tendrá la historia un final triste como la de la película *Su más fiel amigo*? En esa película, un niño llamado Travis ama a su viejo perro *Yeller*. El perro es el mejor amigo del niño. El perro les salva la vida en repetidas ocasiones. El perro se infecta con rabia cuando salva a la familia de un lobo infectado. El niño debe matar a su perro. Fin.

Ese tiene que ser uno de los finales más tristes de la historia. ¿Terminaran en dolor la historia del mundo y la historia de tu vida? ¿O tendrá la historia un final confuso, como el programa de televisión *Perdidos*? Nunca un final ha sido tan ampliamente esperado, y nunca ha confundido y molestado a tanta gente. ¿Por qué tuve que mirar media docena de temporadas en Netflix para esto?

¿Terminará nuestra vida con mil cabos sueltos, mientras nos rascamos la cabeza y nos preguntamos: "¿Cuál era el significado de *eso*?"

No. Dios es un gran autor, y la historia que está escribiendo termina con un mundo de gozo, victoria y vida. El cielo vendrá a la tierra, el lugar de morada de Dios estará con nosotros, las cosas viejas pasarán y todas las cosas serán nuevas.

Lo mejor está por venir

Todos los días tenemos la paz de saber que lo mejor está por venir. Tienes un futuro en Cristo que es mejor de lo que puedes imaginar. Tienes una esperanza que no decepcionará. Tendrás la vida que siempre quisiste.

El *Catecismo más grande de Westminster* describe tu futuro así:

> Los justos... serán recibidos en el cielo, donde ellos estarán enteramente para siempre libres de todo pecado y miseria; llenos de goces inconcebibles, hechos perfectamente santos y felices tanto en el cuerpo como en el alma, en compañía de santos y ángeles innumerables, pero especialmente gozarán de la fruición y visión inmediata de Dios el Padre, de nuestro Señor Jesucristo y del Espíritu Santo, por toda la eternidad.[1]

Peter Kreeft, en su libro sobre el cielo, dice que cuando llegamos a entender nuestro futuro en Cristo, eso produce la mayor revolución psicológica imaginable. Ahora marca nuestra vida coraje total.

> Ahora supongamos que tanto la muerte como el infierno fueron completamente derrotados. Supongamos que la

> pelea fue arreglada. Supongamos que Dios te llevó en un viaje a través de una bola de cristal hacia tu futuro y viste sin ninguna duda que a pesar de todo, tu pecado, tu pequeñez, tu estupidez, podrías libremente pedir todo lo que más anhela profundamente tu corazón: el cielo, el gozo eterno. ¿Acaso no volverías decidido y cantando? ¿Qué puede hacerte la tierra si tienes garantizado el cielo? Temer la peor pérdida terrenal sería como un millonario que teme la pérdida de un centavo, incluso menos, una raspadura en un centavo.[2]

> El verdadero valor viene de conocer el final de la historia

Una visión del futuro

Las iglesias en libro de Apocalipsis son de muchas maneras como nuestras iglesias hoy en día. A menudo tenemos miedo y estamos preocupados, nos enfrentamos a tribulaciones y calumnias, estamos llenos de nuestros propios pecados, y tenemos poco poder. Conocemos las lágrimas, la enfermedad y la muerte.

Al igual que esas iglesias, nosotros también debemos escuchar las palabras de nuestro Salvador declarando triunfalmente el futuro brillante que vendrá pronto. Nada más que una visión clara de nuestro futuro eliminará el temor y fortalecerá nuestras almas.

El libro del Apocalipsis es una "revelación de Jesucristo" (1:1), dada a Juan estando en la isla de Patmos para mostrar a sus siervos "las cosas que deben suceder pronto" (1:1, RVC). Jesucristo se presenta como "el testigo fiel, el primogénito de entre los muertos y el soberano de los reyes de la tierra" (1:5, RVC). Como testigo fiel, testifica la verdad. Como el primogénito de entre los muertos, es el primero resucitado que se levantó de la muerte para que nosotros también pudiéramos ser resucitados en él. Como el soberano de los reyes de la tierra, es el Señor soberano de la historia, el Alfa y el Omega, el Todopoderoso.

Este mismo Jesús es el que mandó que se escribieran estas cosas, para que sepamos las cosas que tendrán lugar en el futuro. Él nos recuerda el Árbol de la Vida del que comeremos, nuestra victoria sobre la segunda muerte que ha sido asegurada por su muerte sustituta, la autoridad que tendremos sobre las naciones al sentarnos con Cristo en su trono, y el nuevo nombre que recibiremos, el cual Cristo lo confesará ante el Padre y sus ángeles y que está escrito para siempre en el Libro de la Vida.

Jesús ha vencido, y a través de nuestra unión con él, somos más que vencedores. Él dice: "Al que venza, yo le daré que se siente conmigo en mi trono; así como yo también he vencido y me he sentado con mi Padre en su trono" (Apocalipsis 3:21, RVC). Es desde este trono que Juan escucha una voz fuerte que declara:

> Oí una gran voz que procedía del trono diciendo: "He aquí el tabernáculo de Dios está con los hombres, y él habitará con ellos; y ellos serán su pueblo, y Dios mismo estará con ellos como su Dios. Y Dios enjugará toda lágrima de los ojos de ellos. No habrá más muerte, ni habrá más llanto, ni clamor, ni dolor; porque las primeras cosas ya pasaron". El que estaba sentado en el trono dijo: "He aquí yo hago nuevas todas las cosas" (Apocalipsis 21:3-5, RVC).

Gran parte de nuestra experiencia actual y cotidiana en este mundo se describe en las palabras de este pasaje.

Luto. Lloro. Dolor. Muerte. Lo que celebramos en el evangelio de la resurrección de Jesucristo es la gran verdad de que, debido a que Jesús vive, estas realidades no son el final de la historia. Los cristianos son optimistas eternos, porque sabemos cómo termina la historia. Jesús es vencedor, y nosotros juntamente con él.

Todas las cosas nuevas

La promesa de Jesús de hacer todas las cosas nuevas es un recordatorio del alcance cósmico de la redención. Romanos 8:22 dice que "toda la creación gime a una, y a una sufre dolores de parto hasta ahora". Todos los días escuchamos el gemido de la creación.

Pero más fuerte que el gemido de la creación es la música de esperanza que suena en el Evangelio. El mensaje de la redención incluye las buenas nuevas de que Dios no ha abandonado el mundo que hizo, sino que ha enviado a su Hijo, quien a través de su muerte y resurrección salvaría a los pecadores y haría todas las cosas nuevas.

Michael Reeves dijo que la tumba de la que Cristo salió se convirtió en el vientre de una nueva creación.[3] La resurrección de Cristo es la inauguración de la nueva creación.

En la actualidad, sólo hay una realidad física que ha sido plenamente renovada, y ese es el cuerpo de Jesucristo. Pero cuando Cristo regrese, todos sus siervos, juntamente con el mundo físico en el que vivimos, serán renovados.

"El Señor no abandona la obra de sus manos", escribe Al Wolters. "Con fidelidad ampara el orden de su creación. Ni siquiera la gran crisis que vendrá al mundo al retorno de Cristo consumirá la creación de Dios ni nuestro desarrollo cultural de la misma. El nuevo cielo y la nueva tierra que el Señor ha prometido serán una continuación, purificada por el fuego, de la creación que ahora conocemos."[4]

En el libro de C. S. Lewis, *El león, la bruja y el armario*, el Sr. Castor recita una famosa poesía en Narnia, hablando de un tiempo venidero.

> "El mal será corregido, cuando Aslan aparezca, y al sonar de su rugido, ya no habrá penas, al mostrar sus dientes, el

invierno encuentra su muerte, y al sacudir su melena, volveremos a tener primavera".[5]

Nosotros también hemos recibido una profecía antigua, la promesa de un cielo nuevo y una tierra nueva. Todo mal será corregido, toda pena cesará, y el invierno encontrará su muerte. Dios habló por medio del profeta Isaías, diciendo:

> "Porque he aquí que yo creo cielos nuevos y tierra nueva. No habrá más memoria de las cosas primeras, ni vendrán más al pensamiento. Más bien, gócense y alégrense para siempre en las cosas que yo he creado. Porque he aquí que yo he creado a Jerusalén para alegría, y a su pueblo para gozo. Yo me gozaré por Jerusalén y me regocijaré por mi pueblo. Nunca más se oirá en ella la voz del llanto ni la voz del clamor" (Isaías 65:17-19).

Estos son los cielos nuevos y la tierra nueva. Las cosas pasadas darán lugar a un mundo de gozo y alegría indescriptibles. No habrá más lágrima. Ni la voz del clamor. Ni hambre, ni más sed, ni calor (Apocalipsis 7:16).

¡Las palabras no pueden describir lo que será ese mundo! Estaremos libres de todo lo que el pecado y la maldición han traído al mundo. Tu corazón comprenderá muy profundamente cuánto te ama el Padre, y te darás cuenta de cuánto has anhelado estar en casa. Te alegrarás y te regocijarás para siempre en el mundo que Dios crea.

Recuerda que la esperanza cristiana no se cumple cuando morimos, sino cuando Cristo venga otra vez. No esperamos principalmente la muerte y el estado intermedio, sino el regreso de Cristo, la resurrección del cuerpo y la renovación de toda creación.

No se puede enfatizar suficientemente que nuestro futuro es material y corporal, afirmando la bondad del mundo creado. Una salvación que renueva el alma, pero no el cuerpo, no es una salvación completa. Una salvación que renueva a la persona, pero no al mundo creado, no es una salvación completa.

La redención no significa que el mundo creado no importe; redención significa que el mundo creado es parte del propósito de Dios y será renovado en Cristo. El cielo descenderá pronto a la tierra en la que moramos. Todos seremos renovados y transformados. El paraíso una vez perdido será recuperado con gran gloria. Y será glorioso más allá de toda imaginación.

A gozar con Dios para siempre

Lo que hace que nuestro futuro sea tan glorioso, y lo que hace que los cielos nuevos y la tierra nueva sean tan agradables, es que disfrutaremos de la presencia de Dios y lo alabaremos para siempre. El salmista le dice al Señor: "¿A quién tengo yo en los cielos? Aparte de ti nada deseo en la tierra" (Salmos 73:25). La mayor bendición del cielo es la presencia de Dios, sin la cual el cielo deja de ser el cielo.

El último capítulo de la Escritura, Apocalipsis 22, describe el río del agua de vida, brillante como cristal, que fluye desde el trono de Dios y del Cordero.

> "Ya no habrá más maldición. Y el trono de Dios y del Cordero estará en ella, y sus siervos le rendirán culto. Verán su rostro, y su nombre estará en sus frentes. No habrá más noche, ni tienen necesidad de luz de lámpara, ni de luz del sol; porque el Señor Dios alumbrará sobre ellos, y reinarán por los siglos de los siglos" (Apocalipsis 22:3-5).

Cornelis Venema subraya: "Cuando la Biblia habla del futuro del creyente, es este gozo de Dios, este 'ver a Dios cara a cara' lo que más enfatiza".[6]

Este conocimiento más profundo de Dios incluye un gozo mayor de él y una plena confianza en él. Richard Baxter dice que en el cielo descansaremos de todas nuestras dudas sobre el amor de Dios. Él dice que nuestra experiencia en esta vida implica "pensamientos a veces crueles de Dios, a veces pensamientos de subestima de Cristo, a veces pensamientos de incredulidad de las Escrituras, a veces pensamientos nocivos acerca de la Providencia".[7] Pero en el cielo, ya no tendremos estos pensamientos.

En 1 Tesalonicenses 4 se describe lo que sucederá cuando Cristo regrese, para el fortalecimiento de nuestra esperanza y el aliento de nuestras almas. La voz del arcángel clamará en triunfo, la trompeta de Dios sonará, y el Señor Jesucristo mismo descenderá del cielo (v. 16). Es entonces cuando todo el pueblo de Dios, ya sea vivo o muerto, se reunirá con Cristo en los cielos. Es entonces cuando todo el pueblo de Dios será glorificado. Mientras que nuestras conversiones llegaron en diferentes momentos, la glorificación vendrá al mismo tiempo para todos nosotros. Lo más sorprendente es que "estaremos siempre con el Señor" (v. 17, RVC).

Hay una razón por la que el capítulo 5 de Apocalipsis describe al Cordero de pie, como inmolado, como el centro de la alabanza del cielo. Su presencia será nuestro gozo y nuestra paz para siempre. Un himno dice:

La novia, su vestido
Allí no mirará, sino de su esposo
La muy hermosa faz;
Ni gloria ni corona
Sino a mi amado Rey;

Veré en la muy gloriosa
Tierra de Emanuel.[8]

Al borde de la eternidad

El objetivo a lo largo de este libro ha sido cultivar la esperanza mientras miramos hacia el futuro. Los pensamientos de temor del futuro pueden ser reemplazados por el Espíritu con la gloriosa herencia que tenemos en Cristo. Podemos reírnos del porvenir, conociendo la bondad del Señor en su fidelidad y sus promesas.

A largo plazo, ¿cuál es el peor escenario para nuestra vida?

- Si hay más enfermedad y dolor por delante, en poco tiempo estaremos perfectamente sanos. Tendremos un cuerpo nuevo en la resurrección, lleno de fuerza y gloria.
- Si entramos en los días de soledad, pronto estaremos juntos en la gran reunión de todo el pueblo de Dios, juntándonos con nuestros seres queridos en Cristo y disfrutando de la comunión con el Padre, el Hijo y el Espíritu Santo para siempre.
- Si la pérdida está por venir, más tarde llegaremos a conocer una herencia que supera con creces todo lo que hemos perdido en esta vida. Somos coherederos con Cristo (Romanos 8:17), que es él mismo heredero de todas las cosas (Hebreos 1:2), lo que significa, maravillosamente, que todas las cosas son tuyas, "sea el mundo, sea la vida, sea la muerte, sea lo presente, sea lo porvenir, todo es de ustedes" (1 Corintios 3:21–22).
- Si llegamos a conocer penas dolorosas, la alegría eterna y el gozo cada vez mayor vienen con el futuro brillante.
- Si la muerte llega antes de lo que pensábamos, estaremos con Cristo, que es mucho mejor, y entenderemos

> más de los caminos perfectos del Señor de lo que lo entendemos ahora, y algún día nos levantaremos en victoria sobre la muerte, viviendo en un mundo en el que la muerte ya no existe.

Sabemos que las dificultades van a venir y, sin embargo, estaremos seguros. Charles Spurgeon dice:

> El cristiano puede estar sereno al borde de la eternidad y decir: '¡Adelante! ¡Que cada suceso predicho se convierta en un hecho! ¡Viertan sus vasijas, ángeles! ¡Cae, estrella llamada Ajenjo! Ven, Gog y Magog, a la última gran batalla del Armagedón! Nada deben temer aquellos que son uno con Jesús. A nosotros nada más nos queda, sino alegría y regocijo.[9]

Nada deben temer aquellos que son uno con Jesús. Esa es la posición cristiana. Parado al borde de la eternidad, dices: "¡Adelante! ¡Ven conmigo! Cristo está conmigo, y él es mayor que mis temores".

Los anticristos de los falsos mesías y los falsos profetas no pueden hacernos daño. Las guerras, los terremotos y el hambre no podrán robar nuestra esperanza. Deja que el dragón y la bestia del mar hagan lo mejor que puedan. Deja que caiga el granizo y el fuego; deja que Babilonia se enfurezca. Deja que la tierra ceda y las montañas se trasladen al corazón del mar, deja que las montañas tiemblen. ¡Dios está con nosotros! ¡Dios nunca nos dejará! Y por la gracia de Dios seremos fieles a Cristo y a su evangelio, venga lo que venga.

Estamos dispuestos y listos para sufrir. Conquistaremos y venceremos. Seremos valientes en la batalla del Armagedón, sabiendo que el Dios de paz aplastará en breve a Satanás debajo de nuestros pies (Romanos 16:20).

El que Cumple sus promesas ha hablado. Su gracia y su bondad nos seguirán. El miedo y la ansiedad quedan detrás. La gloria del cielo está ante nuestros ojos. El reino será consumado. La muerte será vencida. El consuelo eterno y la esperanza de gloria nos pertenecen por la gracia.

Ven Señor Jesús

Esta visión bíblica del futuro es lo que traemos a memoria en tiempos de debilidad y miedo. En Cristo, conocemos el final de la historia. Aquel "que nos ama y nos libró de nuestros pecados con su sangre" (Apocalipsis 1:5) es el mismo "que viene con las nubes, y todo ojo le verá" (Apocalipsis 1:7, RVC). Pronto veremos al Rey de gracia. El Cordero inmolado por nosotros está haciendo nuevas todas las cosas.

No puedo ver todo lo que viene. Pero puedo oír el canto de las montañas y las colinas. Puedo oír el aplauso de los árboles. Puedo oler un banquete de comidas deliciosas y vino añejado. Veo gozo por la mañana. ¡Ven, cena de las bodas del Cordero! ¡Ven, santidad perfecta! ¡Ven, comunión con todos los santos de Dios en un mundo de amor! ¡Ven, comunión inquebrantable con Dios por toda la eternidad! ¡Ven, Señor Jesús!

Dios ha revelado un futuro brillante. Mientras esperamos el retorno del Señor, que la esperanza inquebrantable reine en nuestros corazones. Que podamos mirar al futuro sin temor. Y que a través de los días de gozo y los días de dolor, el Señor nos de poder para saber que todo estará bien.

Preguntas para Reflexión

1. ¿Cómo ayuda el libro del Apocalipsis a los cristianos débiles y preocupados?

2. Lee Apocalipsis 21:1–7. ¿Cuáles son algunas de las "primeras cosas" que desaparecerán cuando Cristo regrese, y cuál es nuestra esperanza final?

Reconocimientos

Este libro no sería posible sin la ayuda de Barbara Juliani y el talentoso equipo de New Growth Press. Además de brindarme la oportunidad de publicar, trabajar con ellos es un gozo. Estoy especialmente agradecido a Sue Lutz por su trabajo editorial.

La iglesia *Covenant Fellowship* es como una familia para mí, y doy gracias a Dios por cada uno de los miembros. Mis pastores y muchos otros en la iglesia han cuidado de mí y de mi familia en los últimos dos años, y lo han hecho con mucha oración y afecto.

Mi esposa e hijos son mis favoritas en el mundo. Meghan me ayuda en el trayecto de la vida, apoyándome y animándome de muchas maneras. Ella es mi mejor amiga y la única chica de la que me he enamorado. Estoy agradecido por mis hijos, Ryle, Ben, Lily, Isaac, Julieta, y Agatha. Ellos hacen del hogar un lugar de gozo, riqueza y aventura. Amo y disfruto de cada uno de ellos.

Notas

Capítulo 1

1. D. Martyn Lloyd-Jones, *Spiritual Depression: Its Causes and Its Cure* (Grand Rapids, MI: Eerdmans, 1965), 97.
2. Raymond C. Ortlund Jr., *Supernatural Living for Natural People: The Life-Giving Message of Romans 8* (Fearn, Ross-Shire: Christian Focus Publications, 2001), 135.
3. Randy Alcorn, *We Shall See God: Charles Spurgeon's Classic Devotional Thoughts on Heaven* (Carol Stream, IL: Tyndale House Publishers, 2011), 159.
4. Mary Bowley Peters, "All Will Be Well" (1847).
5. Cornelis P. Venema, *The Promise of the Future* (Edinburgh: *The Banner of Truth Trust*, 2000), 11.
6. Charles Spurgeon, *Beside Still Waters: Words of Comfort for the Soul*, ed. Roy H. Clarke (Nashville, TN: Thomas Nelson, Inc., 1999), 120.

Capítulo 2

1. John Stott, *The Cross of Christ* (Downers Grove, IL: InterVarsity Press, 1986), 159.
2. Quoted by David Calhoun in *Suffering and the Goodness of God*, ed. Morgan and Peterson (Wheaton, IL: Crossway Books, 2008), 199–200.
3. John Flavel, *Triumphing Over Sinful Fear* (Grand Rapids, MI: Reformation Heritage Books, 2011), 29.

Capítulo 3

1. Charles Spurgeon, *Beside Still Waters*, 12.
2. John Piper, *Future Grace* (Colorado Springs, CO: Multnomah Books, 1995), 65.
3. John Bunyan, *The Pilgrim's Progress* (Wheaton, IL: Crossway, 2009), 66.
4. J. C. Ryle, *Expository Thoughts on the Gospels: Matthew* (Carlisle, PA: The Banner of Truth Trust, 1986), 61.
5. Charles Spurgeon, *Beside Still Waters*, 178.

Capítulo 4

1. Martin Luther King Jr., "Shattered Dreams"; http://www.thekingcenter.org/archive/document/shattered-dreams.
2. Herman Bavinck, *Reformed Dogmatics, Volume Four: Holy Spirit, Church, and New Creation* (Grand Rapids, MI: Baker Academic, 2008), 49–50.
3. Jeremiah Burroughs, *Hope* (Orlando, FL: Soli Deo Gloria Publications, 2005), 2.
4. William Gurnall, *The Christian in Complete Armour, Volume 3* (East Peoria, IL: Versa Press, 1989), 174.
5. Ibid., 177.
6. Timothy Keller, *Making Sense of God: An Invitation to the Skeptical* (New York, NY: Viking, 2016), 173.
7. Todd Billings, *Rejoicing in Lament: Wrestling with Incurable Cancer & Life in Christ* (Grand Rapids, MI: Brazos Press, 2015), 89.
8. Kelly Kapic, *Embodied Hope: A Theological Meditation on Pain and Suffering* (Downers Grove, IL: IVP Academic), 33.
9. John Owen, *The Grace and Duty of Being Spiritually Minded, from The Works of John Owen, Volume 7* (Carlisle, PA: Banner of Truth, 1965), 322.

Capítulo 5

1. Joni Eareckson Tada, *Joni and Friends Radio*, Septiembre 18, 2015; http://www.joniandfriends.org/radio/5-minute/defiant-joy/.
2. Quoted in Randy Alcorn, *We Shall See God: Charles Spurgeon's Classic Devotional Thoughts on Heaven*, 237–38.
3. http://christianfunnypictures.com/2012/04/peanuts-comicand-sound-theology.html
4. John Calvin, *Commentary on Zechariah 8:15*; www.sacredtexts.com/chr/calvin/cc30/cc30011.htm.
5. John Calvin, *Commentary on Joshua 10:8*; www.sacred-texts.com/chr/calvin/cc07/cc07012.htm.
6. William Gurnall, *The Christian in Complete Armour, Volume 3*, 160.
7. Quoted in J. I. Packer, *Knowing God* (Downers Grove: IL, InterVarsity Press, 1973), 115.
8. John Flavel, *Triumphing Over Sinful Fear* (Grand Rapids, MI: Reformation Heritage Books, 2011), 59.

Capítulo 6

1. Marcus Peter Johnson, *One with Christ: An Evangelical Theology of Salvation* (Wheaton IL: Crossway, 2013), 174.
2. Sam Storms, *Kept for Jesus: What the New Testament Really Teaches about Assurance of Salvation and Eternal Security* (Wheaton, IL: Crossway, 2015), 24.
3. Greg Forster, *The Joy of Calvinism: Knowing God's Personal, Unconditional, Irresistible, Unbreakable Love* (Wheaton, IL: Crossway, 2012), 130.
4. John Bunyan, *The Pilgrim's Progress*, 52.
5. J. I. Packer, *Knowing God* (Downers Grove, IL: InterVarsity Press, 1993), 275.
6. Ibid., 270.

7. C. H. Spurgeon, "Good Cheer for Many That Fear," Sermon No. 2815; https://www.ccel.org/ccel/spurgeon/sermons49.iv.html.
8. Octavius Winslow, *No Condemnation in Christ Jesus: As Unfolded in the Eighth Chapter of the Epistle to the Romans* (Edinburgh: The Banner of Truth Trust, 1991), 385.

Capítulo 7

1. William Cowper, "God Moves in a Mysterious Way" (1774).
2. David Powlison, *Breaking the Addictive Cycle: Deadly Obsessions or Simple Pleasures?* (Greensboro, NC: New Growth Press, 2010), 8.
3. The Heidelberg Catechism, *Question and Answer 1, from Ecumenical Creeds and Reformed Confessions* (Grand Rapids, IL: Faith Alive, 2001).
4. John Calvin, *Institutes of The Christian Religion*, 1.17.3.
5. John Calvin, *Institutes of The Christian Religion*, 1.16.3.
6. Calvin, *Commentary of Joshua 6*; www.ccel.org/ccel/calvin/calcom07.ix.i.html.
7. Charles Spurgeon, *Beside Still Waters: Words of Comfort for the Soul*, 169.
8. John Stott, *The Cross of Christ* (Downers Grove, IL: InterVarsity Press, 1986), 329.

Capítulo 8

1. Leif Enger, *Peace Like a River* (New York, NY: Grove Press, 2001), 36.

Capítulo 9

1. See John Perkins, *Let Justice Roll Down* (Grand Rapids, MI: Baker Books, 2014).

2. Russell Moore, *Onward: Engaging Culture without Losing the Gospel* (Nashville, TN: B&H Publishing Group, 2015), 66.
3. Ibid., 97–98.
4. Gary Haugen, *Good News about Injustice: A Witness of Courage in a Hurting World* (Downers Grove, IL: InterVarsity Press, 1999), 61.
5. Ibid., 67.
6. Carl Henry, cita de Tim Challies, Agosto 30, 2014; https://www.challies.com/a-la-carte/weekend-a-la-carte-august-30/.
7. Kevin DeYoung, *The Hole in Our Holiness: Filling the Gap between Gospel Passion and the Pursuit of Godliness* (Wheaton, IL: Crossway, 2012), 21.
8. Russell Moore, Onward: *Engaging Culture without Losing the Gospel*, 66–67.
9. Andrew Peterson, *The Monster in the Hollows* (Nashville, TN: Rabbit Room Press , 2011), 281.
10. Charles Spurgeon, *Beside Still Waters: Words of Comfort for the Soul*, 169.
11. John M. Perkins, *Let Justice Roll Down* (Grand Rapids, MI: Baker Books, 1976), 11.
12. Quoted by David B. Calhoun, "The Hope of Heaven," in Heaven (Wheaton, IL: Crossway, 2014), 261.

Capítulo 10

1. Frank E. Graeff, "Does Jesus Care?" (1901).
2. Mike Mason, *The Gospel According to Job* (Wheaton, IL: Crossway, 1994), 445–46.
3. D. A. Carson, cita en Twitter, @dacarsonspeaks, Septiembre 8, 2016.
4. Gerard Manley Hopkins, "The Caged Skylark," *Selected Poems of Gerard Manley Hopkins* (Mineola, NY: Dover Publications, Inc.), 26.

5. Letra del himno atribuido a Robert Keene, "How Firm a Foundation" (1787).

Capítulo 11

1. B. B. Warfield, *The Emotional Life of Our Lord*, from *The Person and Work of Christ* (Phillipsburg, NJ: The Presbyterian and Reformed Publishing Company, 1950), 117.
2. John Calvin, *Commentary on John 11*; www.ccel.org/study/John_11:38-44.
3. Richard Baxter, *The Saints' Everlasting Rest*, from *The Practical Works of The Rev. Richard Baxter, Vol. 22* (London: Mills, Jowett, and Mills, 1830), 82–83.
4. Octavius Winslow, *No Condemnation in Christ Jesus: As Unfolded in the Eighth Chapter of the Epistle to the Romans* (Edinburgh: The Banner of Truth Trust, 1991), 385.
5. D. L. Moody, cita por William R. Moody en *The Life of Dwight L. Moody*, 1900; http://www.ntslibrary.com/PDF%20Books/Life%20of%20Moody.pdf.
6. Bob Kauflin, "It Is Not Death to Die" (2008). Usado con permiso.
7. *The Heidelberg Catechism, Question and Answer 42*, from *Ecumenical Creeds and Reformed Confessions* (Grand Rapids, MI: Faith Alive, 2001).
8. John Calvin, *Institutes*, 3.9.5.
9. Charles Spurgeon, *Beside Still Waters: Words of Comfort for the Soul*, 128.
10. Iain H. Murray, D. Martyn Lloyd-Jones: The Fight of Faith 1939-1981 (Carlisle, PA: Banner of Truth, 1990), 747.
11. Quoted in J. C. Ryle, *Holiness: Its Nature, Hindrances, Difficulties, and Roots* (Darlington: Evangelical Press, 1979), 121.
12. Cita en John Flavel, *Triumphing Over Sinful Fear* (Grand Rapids, MI: Reformation Heritage Books, 2011), 38.

13. John Bunyan, *The Pilgrim's Progress*, 424–26. Citas ligeramente editadas para su modernización.
14. Herbert Lockyer, *Last Words of Saints and Sinners: 700 Final Quotes from the Famous, the Infamous, and the Inspiring Figures of History* (Grand Rapids, MI: Kregel Publications, 1969), 72–73.

Capítulo 12

1. *Westminster Larger Catechism*, Pregunta 90.
2. Peter Kreeft, *Heaven: The Heart's Deepest Longing* (San Francisco, CA: Ignatius Press, 1989), 183.
3. Michael Reeves, *Rejoicing in Christ* (Downers Grove, IL: IVP Academic, 2015), 64.
4. Al Wolters, *Creation Regained: Biblical Basics for a Reformational Worldview, Second edition* (Grand Rapids, MI: Wm. B. Eerdmans Publishing Co., 2005), 46–47.
5. C. S. Lewis, *The Lion, the Witch, and the Wardrobe* (New York, NY: HarperCollins, 1950), 85.
6. Cornelis Venema, *The Promise of the Future* (Edinburgh: The Banner of Truth Trust, 2000), 483.
7. Richard Baxter, *The Saints' Everlasting Rest, from The Practical Works of The Rev. Richard Baxter, Vol. 22* (London: Mills, Jowett, and Mills, 1830), 145.
8. Anne R. Cousin, "The Sands of Time Are Sinking" (1857).
9. Cita en Randy Alcorn, *We Shall See God: Charles Spurgeon's Classic Devotional Thoughts on Heaven* (Carol Stream, IL: Tyndale House Publishers, 2011), 158.